若者はなぜ3年で辞めるのか？

年功序列が奪う日本の未来

城繁幸

光文社新書

はじめに　「閉塞感《へいそくかん》の正体」を見きわめる

昨年、大手企業に勤める三二歳の友人と同窓会で会ったときのことだ。

彼はこんなことを言っていた。

「マイホームのローン支払いがきついんだ。海外旅行や新車は、四〇過ぎて給料が上がるまでお預けだな」

少し考えれば気づくことだが、この考えは、「毎年きっちり給料が上がっていく」ことを前提としている。ちなみに、彼の会社は他の多くの企業同様、すでに定期昇給は廃止済みであり、三〇代後半で基本給は頭打ちになる。あとは管理職ポストに上がるしか、大幅な年収アップは望めない。

そのことを指摘すると、一瞬で酔いが醒《さ》めたような顔をしていたのが印象的だった。無理もない。ポストに就《つ》けなければ、定年までローンの負担は軽くなることはない。いや、子供が成長するにつれ教育費などの出費は増えるから、むしろ生活は苦しくなるだろう。そうなれば、旅行やピカピカの新車とは一生無縁の生活が待っている。

「年功序列は終わった」と言われて久しいが、どうもかなりの人間は、依然として（少なくとも自分たちの周囲にだけは）それが存在していると思い込んでいるようだ。

もっとも、三〇代以上の社会人の多くは、かつての年功序列時代を経験している。単に昔の気分が抜けていないだけかもしれない。

だが、同様の思い込みは、それを知るはずもない学生の間にも見られる。

彼らと話すと、「〇〇の会社は三〇でいくら貰《もら》えますか？　四〇ならいくらですか？」というような質問がしょっちゅう出てくる。もう横並びで決まる時代ではないのだから、こちらとしてはなんとも答えようがない。

だが、ネット上では、就職をひかえた学生たちが、そういった〝格〟の議論に、むしろわれわれの学生時代以上に熱中している。

彼らを見ていると、まるでターミナル駅に集まった乗客のようだ。

「この列車はずいぶんきれいで席も広い」

「いやいや、あっちのほうが見栄えがいい」

勝ち負けの差がより鮮明に出る格差社会の到来で、彼ら学生も自分の入社する企業のグレードには敏感になっているのだろう。

でも、肝心のレールのほうについての議論はすっぽり抜けている。まるで、一度席に着きさえすれば、終点まで運んでもらえるのが当然だと言わんばかりだ。実際には、どんなに見てくれのいい列車でも、少し走っただけで放り出されるかもしれない。

しっかりした企業に入りさえすれば、必ずゴールまでたどり着ける——だからこそ入る企業の格こそ重要であり、自分が何をやりたいのか、そしてそもそも目指すゴールとはなんなのか、議論する人間は少ないように思う。

どうやらわれわれ日本人は、無意識のうちにある固定観念を植えつけられてしまっているようだ。それの正体がなんなのか。突き詰めていくと、思った以上に根は深い。

なにも皆にその固定観念を捨てろとは言わないが、少なくとも未来ある若者は、一度その正体を自分の目で見きわめるべきだろう。

というのも、往々にして固定観念というものは、各自の置かれた現状との間に、埋めきれないギャップを持つものだ。

もしも自分の信じていた価値観が、実はとうの昔に崩壊していたとしたら……。彼の人生自体、価値のない虚《むな》しいもので終わってしまうだろう。自分の夢を実現するはずが、誰かに奉仕するだけの人生で終わってしまうかもしれないのだ。

多くの若者は、この「固定観念と現実とのギャップ」の存在にうすうす感づいているはずだ。彼らと少し話せば、たとえどんな優良企業で働いている人間であっても、必ず現状に対するなんらかの閉塞感を口にする。

「仕事にまったく興味がわかない」

「将来のキャリアビジョンがまったく見えない」

冒頭で紹介した友人の場合、将来部長くらいには出世できる確証が得られない限り、子供はひとりで打ち止めにするという。これも一種の閉塞感だ。

上昇し続ける新卒離職率、ニートやフリーターの急増、そして一向に改善しない年金未納率などは、これら若者の閉塞感が具体化したものだ。望むと望まないとにかかわらず、時代は流れ始めている。そして、ギャップは日に日に大きくなっていく。

だが、個人がその閉塞感の根源を突き詰めるのは、現実問題としてなかなか難しいだろう。ひとりの人間が見聞きできる範囲は限られているのだ。

本書の目的は、彼らに「閉塞感の正体」を指し示すことだ。

本当はそれの退治までやってしまえればよいのだが、残念ながらそれは個人でどうこうできる次元の問題ではない。

ただ、その正体を認識することで、自分が人生地図のなかでどの位置にいるのかは、おぼろげながら理解できるはずだ。そうすれば、次にどこに向かうべきか、方向だけでも見えてくるに違いない。

幸い、多少幅広く人生を見渡せる仕事に携《たずさ》わる身として、そしてなにより、彼らに近い世代の一員として、本書を役立ててもらえれば光栄である。

目次

第1章　若者はなぜ3年で辞めるのか？

昭和的価値観

「絶対にダメよ！　なんのためにあんたをいままで育ててきたんかね！」

月曜日の朝一番。実家からの電話で、母親が泣き叫ぶように口走ったセリフだ。まるでこれから特攻隊として出撃する人間が言われそうなセリフであるが、なんのことはない、ただ「実は会社を辞めようと思う」と、手紙に書いて送っただけだ。

なんにせよ、月曜の朝から暗澹《あんたん》たる気分になったのをよくおぼえている。

と同時に、そのときあることを初めて理解した。少なくとも自分自身については、大企業で定年を迎えるために育て上げられたということだ。特に団塊ジュニアと団塊世代には、私と似たような家庭が多いように思う。

だが、である。

「ああ、そうですか。じゃあ定年までは勤めますね」

とはいかない。こちらとしても人生は一度しかないのだ。

思い返してみれば、そういうことは過去にもあった。小学生の頃などは、近所の特定郵便局に勤めるよう勧められていた記憶がある（一歩違っていれば、あそこで一生スタンプを押していたわけだ）。

いま思えばとんでもない話だが、考えてみれば（少なくとも当時は）郵便局ほど安定したインフラ事業も他にない。

まったく理解不能だが、彼らは彼らの価値観に沿って子供のことを考えていたには違いない。どうやら自分は、気づかぬうちにその無色透明な価値観、いわば〝昭和的価値観〟に包まれて暮らしてきたらしい。

この目に見えない価値観とは、いったいなんだろう。

銀行マンはサラブレッド!?

この価値観は、けっしてわが家の専売特許ではない。

それなりに名の通った大企業の人事部には、たいてい、通常の人事業務に加えて〝結婚仲介〟的業務がある。

たとえば、取引先の社長に妙齢《みようれい》のご令嬢がいたとする。その社長が担当の営業マンに「君の会社に若くて国立大卒で、将来性のある若者はいないかね」と話を振ってきた場合、種馬の選定は人事部が請け負うことになる（年齢・学歴から業務成績まで把握しているため）。

「いまどきそんな封建的な話があるのか！」と驚く人も多いかもしれないが、けっして珍しい話ではない。

もっともこの手の話が多いのは銀行の地方支店だ。年頃の娘を持つ大口の顧客（地主や地場産業のオーナー一族など）にとっては、銀行マンは社会的地位・品行方正・高学歴と三拍子そろったサラブレッドに見えるらしい。娘を有名企業に入れてやることはできなかったが、せめてそういうサラブレッドに縁づかせたいという親心からくる話だろう（本当に銀行員がサラブレッドかどうかは知らないが）。

そう、ここでもまた例の価値観が顔を出すのだ。

会社名で決まる人の価値

このやっかいな価値観は、日本経済の動脈である銀行にもしっかり根づいている。

日本企業から外資系コンサルティング会社に転職した知人は、マンション購入のためのローン申し込みを銀行に断られた。

理由は、「その外資系企業の社員平均勤続年数が短いから」だそうだ（ちなみに、そういった平均勤続年数の短い外資系企業のなかには、賃貸物件を会社契約で借りたうえで、従業員に住まわせるところも珍しくない。従業員個人では賃貸契約すら結べないケースがあるためだ）。

その一方で、入社三年目にして同じ銀行から三五年ローンを認めてもらった別の知人もいる。ちなみに後者の年収は、前者の五分の一にも満たない。

このことから見えてくるのは、少なくともお金の絡《から》むビジネスにおいては、社会的に知名度のある大企業に、それも長期間継続して勤務しているほうがずっと高く評価されるということだ。

たとえこちらが利用する客の立場であっても、この点は変わらない。

まあ銀行にしても、自営業や平均勤続年数が三年しかないような会社の社員に何千万円も融資するのは腰が引けるのだろう。

ただ、少し考えてみれば、そんなことに大して意味がないことはすぐにわかる。

たとえば、確定申告で二〇〇〇万円以上申告する人間のほとんどは自営業者だ。ごくたまにサラリーマンもいないではないが、そんな人はきまって横文字社名の外資系企業、それも勤続年数の短い業種（銀行が融資したがらないタイプだ）に勤務している。

一方の日の丸サラリーマンの平均年収は四〇歳で五〇〇万円程度。その九九パーセントが、確定申告とは生涯無縁のまま定年を迎える。

ゴールデンでCMを何本流そうが、時価総額が何兆円あろうが、そんなことは社員の幸福とはなんの関係もない。

つまり、属する組織の規模で個人の懐《ふところ》具合を判断することには、なんの合理性もないのだ。

また、〝社会的信用〟という言葉も幻想だ。たとえば、大企業の人事部には、サラ金から従業員への返済督促《さいそく》の電話が代表番号経由でしょっちゅうかかってくるが（こういう誰の担当か曖昧《あいまい》な業務はたいてい人事部に回される）、ほとんどの場合「ああそうですか」で終了だ。

本人に生活指導することはあっても、会社が立て替えてあげるなんてことは絶対にありえない。信用重視の金融機関以外なら、自己破産したあとも立派に働き続けている人間はたくさんいる。

つまり、フリーだろうが外資系だろうが有名大企業だろうが、貸した金が焦《こ》げつくかどうかなんて、結局最後は本人次第ということなのだ。

にもかかわらず、前述のような信用の有無による格差は、過去の話ではなしに現実に存在する。

個人ではなく、その属する企業の持つネームバリュー、社会的信用性が評価される社会。挑戦よりも安定性を重視する風潮。ここでもまた、例の昭和的価値観の影がちらつく。

どうやらその目に見えない価値観は、われわれが意識しないうちに、日本全体を包み込んできたらしい。

こうして見ていくと、その価値観にとってなにより重要なのは、本人の能力やそれによる収入ではなく、「あるシステムに乗っかっているかどうか」であることがよくわかる。

そのシステムに乗ってさえいれば、現時点での収入など問題ではない。なぜか「将来的にも長く勤め続けるだろう」と勝手に評価してもらえる。頼んでもいないのに、品行方正で将来性ある若者として、良家の子女相手のお見合いが転がり込んできたりもする。

そのシステムこそ、昭和的価値観の王道に位置すると言っていい。

それは、〝年功序列〟という名で呼ばれてきたシステムだ。

年功序列というレール

年功序列と聞いて、人はまず何を思い浮かべるだろうか。

ふつうは「横並び」「安定」といった言葉が浮かぶに違いない。真面目な顔をして座っているだけで、誰でも少しずつ出世していくのだから、なるほどこれほど安定している人生はない。

たしかに若いうちの待遇はけっしてよくないものの、それは将来の出世という形で支払われ、長い目で見れば十分、元の取れるシステムだ。

一〇年後、二〇年後に自分がどうなっているか。日本企業に勤めるサラリーマンなら、会社のなかを見渡せば、誰でもそこに将来の自分の姿を見出すことができる。

「四〇歳で二つ隣の課長席、うまくすれば四五歳で向こうの部長席」という具合にだ。

席順だけでなく、おおよその給料まで推測可能だから、それに基づいた人生設計ができ、ローンも組める。

そう、それはまるで、一本の敷《し》かれたレールの上を走っていくことに似ている。学校を出てすぐに乗車し、おとなしく席に座り続けてさえいれば、誰でも定年退職というゴールにたどり着くことができるのだ。

人生を旅にたとえるのなら、この手の人生は列車にゆられる気楽な旅だ。それも目的地も到着時刻も、そして何時にどこを通過するのかも、あらかじめスケジュール管理されたツアー旅行だ。

ここで重要なのは、その誰でもたどり着けるゴールが十分魅力的なものだという点だ。たとえば、部長職として定年を迎えるケースを考えてみたい。上場企業であれば、年収は五〇代からずっと一二〇〇万円程度は保証されている。まとまった退職金に手厚い厚生年金つきの第二の人生も確約されている。

なにより、「社会的に信用のある企業の部長さん」といえば、これはもう一種のステイタスだ。家族にも胸を張れるし、世間体も申し分ない。人生の立派な成功モデルと言っていい。

つまり、このシステムにうまく乗っかることさえできれば、自分は何がしたいのか、あるいは何をすべきか、そんな小難しいテーマを考える必要なんてないのだ。

「でも、そんな制度だと、優秀な人間は働き損じゃないか」という質問をよく聞くが、そこはうまい具合にできている。人よりも優秀な人間は、必ず後々人並み以上に出世するようにできているのだ。

たとえば、「かつて偉大な開発を成し遂げた技術者」であれば、技術顧問やフェロー制度のように、ビジネスとは直接関係ない高待遇ポストが与えられる。

ときには、会社の敷地内に自分の名を冠《かん》した研究所を作ってもらえたりする（ソニーの木原研究所が典型だ）。

彼らはふつうの役員などとは違い、特定の事業に責任を負うことはなく、与えられる予算を使って自分の好きな研究を続けていればいい。まさに過去の実績に対するご褒美《ほうび》だ。

文系の事務職も基本は同じだ。「伝説の営業マン」であれば、営業支社長や販売会社の社長ポスト、ときには取引先の役員ポストまで回ってくる。

こういったポストは経営責任を負わされることも多いが、ふつうはクビになったり平社員に降格されたりといったことはなく、せいぜいちょっと傍流《ぼうりゅう》のポストに移される程度だ。

そういう意味で、やはりご褒美的意味合いが強いと言える。若い時分に稼《かせ》ぎ貯めた分に、たっぷり利子がのって返ってくるわけだ。

昭和的価値観の復権

若い時分の頑張りに対する報酬は、将来必ず得ることができる。

自分の資産を定期預金するようなものだから、必然的に勤続年数は長くなる（途中で辞めると元本《がんぽん》共に支払われない仕組みだ）。年を取れば取るほど急上昇する退職金などは、四〇年定期預金のようなものだ。自分の財産を預け、定年まで勤めるであろう会社を悪く言う人間はいないから、愛社精神も高まる。

年功序列制度と終身雇用がセットで語られるのは、これが理由だ。

もちろん会社によってレールの良し悪しは違う。長く乗っていた割には遠くまで行けないレールもあれば、途中で脱線してしまいそうな危なっかしいレールもある。

なんにせよ、いまから数十年も先の話は誰にもわからない。だからこそ、頑丈で遠くまでたどり着けそうなレール＝大きくて安定した会社が好まれるのだ。

こういう仕組みを理解すると、先ほどの昭和的価値観というものが実によく理解できる。

親なら誰でも、自分の子供には「大企業に入って確実にゴールしてほしい」と願うし、愛娘には「安定したレールに乗った相手」に嫁《とつ》いでほしいと思うだろう（それにより、夫と同じレールに乗ることができるためだ）。

マンションを貸すにしても、どこの馬の骨ともわからない人間よりは、誰でも知っている有名企業の社員に住んでもらったほうが安心だ。彼は突然失業することも、レールを降りて荒野へ消えてしまうこともまずありえない。少なくとも六〇歳までは予想通りの人生を送ってくれる可能性が高いのだ。

昭和から平成にバトンタッチしてすでに一八年経つが、年功序列を尊ぶ昭和的価値観は、先述のように現在も社会の多くの場面で活躍し続けている。

いや、むしろ社会の二極化が叫ばれるなか、より安定したレールを目指す風潮は強まっているように思う。そう、昭和的価値観の復権だ。

たとえば、二〇〇五年度の新入社員を対象とした意識調査では、就職先として「年功序列制度を維持している企業」を挙げる人の割合が四二パーセントを超え、過去一〇年間で最高を記録した（産業能率大学調査）。

公務員人気は依然高く、本来は短大卒業者を対象とするコースであっても、大卒者が過半数を占める自治体も珍しくない（中級職に学歴要件がない自治体）。

公務員試験を受験する予定のある大学生は、志望理由を以下のように語っている。

「競争の時代だからこそ、安定した公務員になりたい」

要するに、勝ち負けがはっきりとついてしまう以上、負け組に入るのだけはなんとしても避《さ》けたいという心情だろう。

いわば、「よりレールの安定した列車のチケット」をめぐって、そこだけは実力主義の競争がくり広げられていると言えるかもしれない。

その列車のチケットさえ手に入れれば、あとはレールを進むだけ。気楽な旅の最後には輝かしいゴールが約束されているのだ。

大卒新人離職率の推移

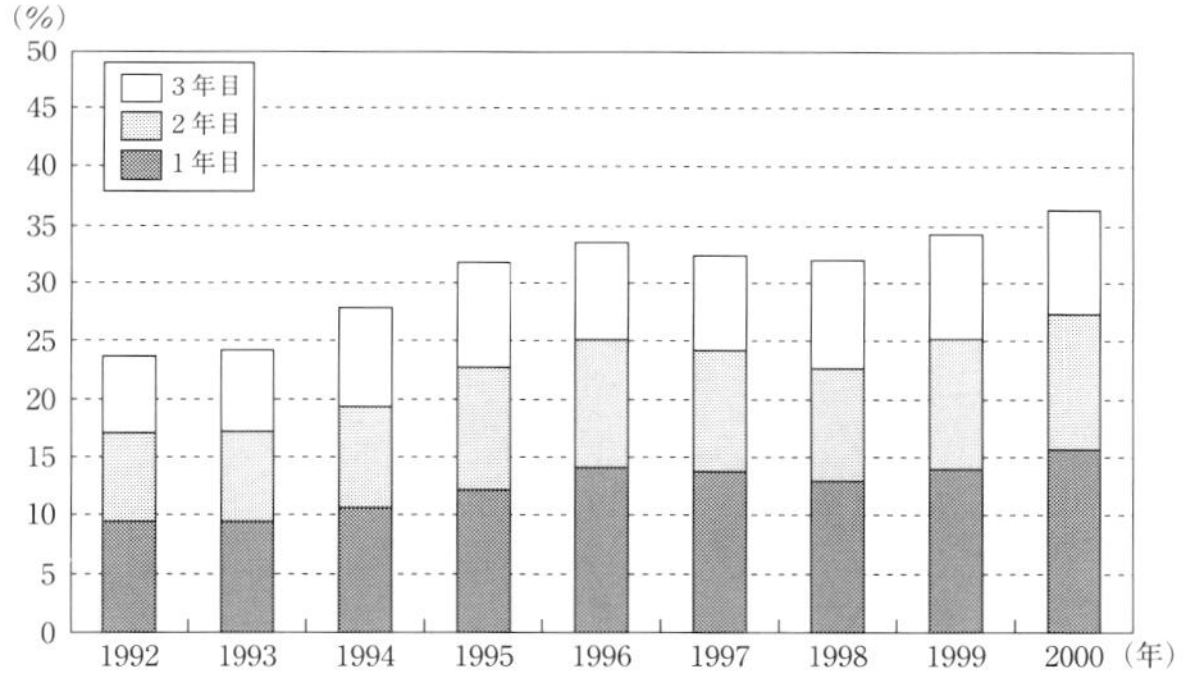

※厚生労働省：新規学校卒業就職者の就職離職状況調査

ではなぜ、三年で三割が辞めるのか？

正社員としての地位を確保した以上、あとは余計なことなど考えずに全力でレールの上を走ればよい。そうすれば、輝かしいゴールは必ず約束されているはずだ。

そのために、企業側も退職金や厚生年金の企業加算などでバックアップしてくれるし、社会も〝優良市民〟として評価してくれる。男なら、少々見てくれが悪くても安定したレールに乗ってさえいれば、たいがいの人間は結婚相手には不自由しない。なにより、「なんのために育ててきたのか！」と親に泣きわめかれる心配もない。

少なくとも彼らは、昭和的価値観のなかでは勝者と言っても差し支えないように思える。

にもかかわらず、企業内ではいま、若者たちの間にある異変が起きている。そのチケットを手にし、意気揚々《ようよう》と列車に乗り込んだ若者たちのなかに、わずか数年で途中下車してしまう人間が急増しているのだ。

その数たるや、大卒入社三年以内で三六・五パーセント（二〇〇〇年）。実に三人にひとりは辞めている計算になり、しかもその数字はまだまだ伸び続けている。

ちなみに一九九二年は二三パーセントだから、一〇年足らずの間に一・五倍に増えたわけだ。

よく指摘されているように、これには「転職市場の成熟」という環境要因が大きく作用していることは否定しない。

転職希望者と募集企業の橋渡しをする人材紹介業は、一九九〇年代後半から、事業者数も売上高も一〇倍近くに急拡大した成長産業だ。

特にここ数年は、〝第二新卒市場〟という入社数年以内を対象とした若手限定市場が拡大中で、これが新卒離職率の急上昇とリンクしているのは事実だろう。

これらの市場の売り手になるのは実に簡単だ。誰でもネットで登録するだけで、すぐに希望に沿った募集職種が紹介される（もちろん、年収条件も指定できる）。

希望すれば、転職コンサルタントが直接会って、親身に相談に応じ、どんなにわがままを言っても、それに沿った企業を紹介してくれる（もっとも、彼らの多くは転職数に応じた歩合制だから、親身になるのも当然だが）。

なかには、「大して転職への意志がなかったが、スタイリッシュな広告に釣られてエントリーし、気がついたら転職していた」などという人もいるかもしれない。

だが、「市場ができたから売り手が生まれる」などということは基本的にありえない。まずはじめに、彼ら若年転職者たち自身が「会社を辞めたい」と思ったのは紛《まぎ》れもない事実だ。市場の形成は、そのニーズに応えたものでしかない。

いったい彼らの心境にどういった変化が起きているのか。

辞められる側の論理――わがままで我慢できない若者たち

まず、採用する側の意見を聞いてみよう。

都内中堅ＩＴ企業の人事部に在籍する池田氏はこう語る。

「当社の従業員数は一二〇〇人程度。一九九〇年代後半から徐々に新卒離職率が高まり、二〇〇二年入社者にいたっては、二〇人のうち八人がすでに退職してしまった。ここ数年新卒採用を絞《しぼ》っていたこともあり、その〝虎の子〟に辞められると非常に困る」

全体の割合を考えれば、その数字自体は特に驚くべきものではない。だが、それ以前の同社の離職率は一割にも満たなかったことを考えれば、実に三倍に急増していることになる。

池田氏は退職予定者に面談を実施し、理由について細かくヒアリングして、社内改革につなげるよう努力している。その結果、意外なことが浮かんできたという。

「ひと言でいえば、ミスマッチ。本人の希望と実際の業務内容が噛《か》み合わなかったというものが多い」

たしかに、一消費者として外から眺める企業と、従業員として内部で感じるイメージは大きく異なることが多い。たとえば、最先端のデジタル家電を作っていても、毎朝並んで社歌を歌わせたり、先進的経営を売りにしつつも、軍隊顔負けのスパルタ主義を徹底していたりするような企業もある。

実際、誰もが知っている国際優良企業であっても、個人的には人に入社を勧めたくない企業は珍しくない。

だが、そんなことは昔からあった話で、良くも悪くも社会人としての通過儀礼のようなものだ。なぜ、いまの若者はそれを乗り越えられないのか。

自身は人事一筋一五年の経歴を持つ池田氏は、最近の若者に対して手厳しい。

「彼らはわがままな半面、われわれの世代と比べると明らかに忍耐力が劣っている。だいたい、企業で最初からやりたいことができるなんて考えが甘いんです。自分も入社から五年間はずっと先輩の手伝い中心で、どちらかというと肉体労働に近かった。やっと人事と言えるような仕事を任されるようになったのは三五歳を超えてから。最近の学生はわがままですよ」

同社は現在、大学三年生を対象に、インターンシップとして三〇名ほどを職場に受け入れている。インターン期間は約一カ月。受け入れ手続きなど、職場の負担はけっして少なくない。

「少しでも学生に実際の職場を経験してもらい、入社後のギャップを少なくしたい。仕事とはこういうもんだぞ、というのを知ったうえで、そのなかから希望者に応募してほしい。入社までに何を伸ばせばいいのかわかれば、自己啓発の意欲もわくでしょうしね」

昨年、インターン経由で入社した新人は二人だけだ。費用対効果を考えれば、けっして効率的な方法ではないが、同社はこの制度を今後も続ける予定だという。

「もっと日本中のいろんな企業で積極的にインターンを受け入れれば、新卒の離職率は下がると思いますよ。わがままな人でも、楽しい仕事なんてあるわけないってわかるわけだから。社会人としていちばん必要な素質は忍耐なんです」

たしかに、数年前から規模・業種を問わず、インターンシップとして学生を一定期間受け入れる企業が増え続けている。純粋な社会貢献から優秀な学生の囲い込みまで、その理由はさまざまだが、共通する目的として、「学生に企業現場を知ってもらい、入社後のミスマッチを減らす」という点が挙げられる。

つまりそれだけ、このテーマが全日本企業共通の切実な問題だと言えるだろう。

就職活動が「自分探し」になった理由

さて、同氏の話には〝わがまま〟〝忍耐不足〟という二つの単語が頻繁《ひんぱん》に登場する。どうやらこの二語こそ、若者たちが企業から途中下車する理由を説明するキーワードになりそうだ。

実際のところ、彼らを受け入れる企業の現場が、この一〇年でそう大きく変わったとは思えない。にもかかわらず、現実の仕事に対してギャップを感じるのは、それだけ彼らが仕事というものに対して幻想を抱いてしまっているということだ。

なぜ、若者はかくも仕事にこだわるように（ベテラン社会人の言葉を借りれば、わがままに）なったのか。

実は、理由ははっきりしている。採る側である企業の、人材に対する考え方が一変したためだ。

かつて、日本企業の人材採用に関する考え方は、「新卒・一括《いっかつ》・ところてん」の三語で表現することができた。

文字どおり、「なんでもそつなくこなせるタイプの人材を、新卒で本社が一括採用する」ことが基本方針だ。

なぜこういう特徴を持つようになったかというと、それはすでに説明したような年功序列制度を維持するためだ。本人の能力よりも勤続年数が重要で、しかも定年まで雇用することが前提である以上、均質な人材をまとめてドカッと採るほうが効率的だったのだ。

当然、求められる人材もそういうタイプが主流になる。

当時の典型的な新入社員のイメージは、「なんでもやります」と元気よく答える人間だろう。会社名で就職先を選ぶ以上、業務内容についてはぐだぐだ言わずに下駄《げた》を預ける覚悟だ。

ところが、一九九〇年代後半から、大企業を中心にこの状況に変化が起きる。バブル崩壊後の長く続く不況で、企業の多くは新卒採用数を大幅に縮小せざるをえなかった。

具体的には、大量採用から厳選採用へ、本社一括方式から事業ごとのピンポイント採用にシフトする企業が相次いだのだ。

たとえば、企業の採用計画を決めるにあたって、一九九〇年頃なら社内の年代別人員構成比が重要な指数となっていた。

「四〇代以上が三割、三〇代が四割、二〇代は二割しかいないから、来年は五〇〇人ほど採りましょう」くらいの感覚だ。

これが現在だと以下のようになる。

「この事業はコアビジネスなので、専門性を持つエンジニア要員一〇〇人、営業と事務部門は最低限に絞ったコア要員五〇人。売上や財務状況から考えて、あとは派遣でまかないましょう」

その結果、採用方式もずいぶんと変わってきた。

事業ごとに何人と細かく配属枠があるから、人事部だけでところてんばかり採るわけにもいかない。学生の配属希望を聞き、該当部門のマネージャーが直接面接する職種別採用や、事業部門ごとに採用活動を完全に切り離して行うカンパニー制など、少なくとも大企業であれば、なんらかの形で採用活動に職種別の変化をつけている企業が大半だろう。

では、そういった変化の洗礼をもろに受ける学生の意識はどう変わったか。

「具体的にどんな仕事を希望しますか？」

「その仕事を通じて実現したい目標はなんですか？」

「希望職種にマッチした専門性は持っていますか？」

彼らが面接を通じて浴びせられる代表的な質問だ。

もう「なんでもやります」的な人間はお呼びではない。そんな人材なら正社員でなくとも派遣社員で十分まかなえる。企業が欲しがっているのは、組織のコアとなれる能力と、一定の専門性を持った人材なのだ。

ここで、彼らは初めて考え込むことになる。自分のやりたい仕事は何か、どういう分野で成長していきたいか。学生という企業の外の立場から、彼らなりに知恵を絞って考え抜き、それぞれが自分なりの答えを見つけ出す。人によっては、その答えに沿って早い段階から自己啓発し、語学や資格などの専門性を磨く人間もいるだろう。

最近の就職活動において、〝自分探し〟というキーワードがしばしば見られるようになったのはこれが理由だ。

ミスマッチはなぜ起こるのか？

「九〇年代末の就職氷河期あたりには、すでに学生の姿勢に変化があらわれていました」

こう語るのは、リクルート・ワークス研究所の豊田主任研究員だ。同氏は一九八〇年代から企業数百社の採用計画に携わり、その後、「就職ジャーナル」などの編集長も長く経験し、日本の新卒採用の変遷《へんせん》をリアルタイムで見続けている。

「企業の厳選採用化や、ネットの普及による情報量の増大などが理由です。特に後者は企業側にも影響を与え、それまで見えない部分で行われていた採用活動をオープンにする企業が増え始めました」

特定の大学のみに絞ったリクルーター制などでこそやっていても、選考の進み具合や試験内容など、すぐにネット上に流出してしまう。企業としては、完全公募制に移行し、広く門戸を開かざるをえなくなったのだ。そのためのツールとして、エントリーシートが普及したのもこの頃だ。

つまり、全員が同じ土俵で、同じ基準で評価されることになったわけだ。

「その結果、学生は偏差値や性別などとは無関係に、明確に二つのグループに分けられるようになりました」

一つは、明確なキャリアプランを持ち、そのために努力し、厳選採用に対応して正社員としての地位を獲得できるグループ。もう一つは、「ただなんとはなしに」有名な企業ばかりに応募し続け、なかなか内定の取れないグループだ。

前者は仕事というものに対してきわめて高い意識を持つが、後者は一九九〇年代の学生と比べて大して変わっていない。

少なくとも〝就職〟という社会人の始発駅の段階では、前者のグループのほうがずっと優秀だと思える（実際、採用する側としてもそういう評価だ）。

ただし、その優秀なグループには同時に欠点もある。彼らは就職までのプロセスにおいて、あまりにも「仕事に対する意識」が高くなりすぎているのだ。

その結果、彼らが入社後、希望していた業務と実際に割り振られた業務にギャップがあった場合、強烈なフラストレーションを抱え込むことになる。先の池田氏のように、「かばん持ち五年、下積み一〇年」というような環境に耐えるような免疫が、相対的に低くなっていると言えるだろう。

たしかに、「なんでもやります」的な就職活動で入社した先輩たちにとって、「自分がこの会社に来たのは○○をやるためだ」と言ってのける後輩はわがままかもしれない。

ただそれは、企業の厳しい選考を勝ち残るために必要な進化の結果だということは明記しておきたい。

人事部のジレンマ

以上が、若者がわがままになった理由だ。若者の意志でそうなったというよりは、そういうアクの強い人間しか勝ち上がれなくなったというほうが近い。だがそれだけでは、彼らが企業という列車を降りることへの説明としてはまだ不十分だろう。

たしかに、予想と違ってつまらない仕事に嫌気が差し、ぷいと辞めてしまう人間もいるにはいるだろう。

だが、少なくとも過去数十年の間は、彼らの先輩たちは文句一つ言わずに働き続けてきた（腹のなかではいろいろ思うところはあったかもしれないが）。だから、転職市場なんてものは市場と呼べる規模では存在しなかったし、人材紹介会社の多くは一九九〇年代に設立されるまで必要とはされなかった。

そう考えると、現在の若者たちも現実をしっかりと受け止め、そのまま働き続けてもよさそうなものだ。

なぜ、彼らだけは企業に見切りをつけ、途中下車してしまうのか。ここでもう一つのキーワードである〝忍耐不足〟を考えてみる必要がありそうだ。


余談だが、私自身はちょうど企業の採用活動が変化する過渡期に就職活動を行った口で、いわば最後の「なんでもやります」世代だった。

応募するに際して、その会社が何をやっているか、実際の社内の状況はどうかなど、いまにして思えばそれほど深くは考えなかった。ＯＢ訪問もするにはしたが、実《み》のある話などほとんどした記憶がない。

「おまえがアホなだけだろう」と言われればそうだろうが、少なくともそれで内定が取れてしまう時代だったのだ。

そんな人間が、わずか数年後には学生に対して〝高い意識〟を要求するようになったのだから、違和感というか、一種の気恥ずかしさのようなものはずっと感じていた（きっと人事部の人間なら、多かれ少なかれ同様の違和感は持っていたはずだ)。

たとえば、いまや採用選考において一般的に取り入れられているTOEICなどは、自分の代の内定者平均点は五〇〇点そこそこだったものが、五年後には六〇〇点台後半にまで上がっていた。この一点だけをもってしても、いかに企業側が学生に課すハードルが上がっているかがよくわかる。

もちろん、それ自体はむしろいいことだと考えていたのも事実だ。

自分たちのように、何も考えず学ぼうともせず、イメージだけで就職する人間よりも、現在の学生のほうがはるかに健全には違いない(本人たちは大変だろうが)。もし組織内で旧世代との力関係が逆転したとしても、それは自己責任だろう。

だが、同時に漠然としたジレンマは常に抱いていた。それは、「これだけ高いハードルを跳び越す能力を求めても、はたして入社後に、本当に社内でそれだけのハードルが与えられるのか」というものだ。

人事部という存在は、列車の車掌に似ているかもしれない。列車が何時にどこを通過し、最終的にどこにたどり着くのか。彼ら人事部だけは、おおよそのスケジュールを予想できるからだ。

実際のところ、自分たちが入り口で厳しく要求する能力など、半分くらいの若者、いや、ひょっとすると大半の若者には、生涯発揮する機会すらないのではないか。

一段ずつ出世していくシステム

なぜ大半の若者に能力を発揮する機会がないのか、そのことを説明する前に、ここで一度、企業の内部構成について簡単に整理しておきたい。

誰もが知っているように、大半の日本企業は長く年功序列制度を維持してきた。勤続年数と共に少しずつ組織内の序列が上がり、それに比例して報酬も上がるシステムだ（最近はいろいろと変化しつつあるが、後述するようにこの本筋は変わらない）。

もちろん、ふつうはボーナスの度に査定が存在し、成績によってボーナスの額に差は出るものの、その額はけっして大きくはない。

出世競争もあるにはあるが、基本的には勤続年数に応じて一定のポストは配分される（年齢にもよるが、団塊世代ではたいていの人間は課長職以上には昇格している）。

もしポスト配分が受けられなかったとしても、そこは定期昇給という名のセイフティネットがある。五〇代にもなれば、一家の長にふさわしい報酬が保証される仕組みだ。

一般的な年功序列型企業

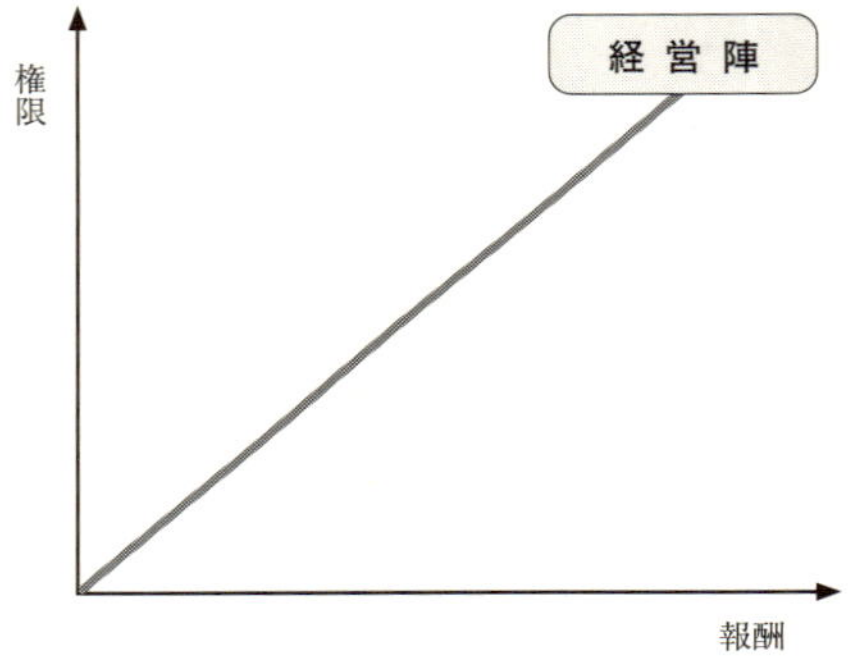

このシステムを〝組織内における序列（権限）〟と〝報酬〟でグラフにすると、上の図のようになる。新人から経営陣までつながる一本の線。そう、これこそ企業内における年功序列のレールそのものなのだ。

基本的に、新入社員はいちばん下の序列から、こつこつ一段ずつ上にあがっていかなければならない。それ以外のレールは存在しないためだ。具体的な昇格の方法としては、一つ下の序列のなかで優秀な人から順に昇格することになる。

序列の高さに報酬が比例しているのは、前述したとおり、このシステムにおいては「ポストは過去の実績への報酬」であるためだ。

たとえば、「二〇年営業で頑張ったから、部長にしてあげましょう」と言われ部長に昇格する以上、それで給与が下がったら意味がないのだ。

このシステムについて、具体例を使ってもう少し説明したい。

ある年のこと、三名の新入社員が入社したとしよう。佐藤君は素晴らしく優秀、鈴木君はまあ十人並み、中村君は少しぼやっとした若者だ。

彼らは初任給として、手取り一六万円から横一線でレールを走り始める。賞与ではそれぞれABCの成績をつけられるものの、賞与の金額差は数千円程度だ。

三〇年後、佐藤君は営業統括部長に、鈴木君は営業課長にそれぞれ出世している。年俸はそれぞれ一三〇〇万円、一一〇〇万円と申し分ない。

中村君だけは主任止まりだが、残業代込みの実質年収は一〇〇〇万円を超えている。もちろん、これは定期昇給というセイフティネットのおかげだ。

最初は「なぜ横並び給与なんだ」だの「なぜ部長の四分の一しか給与がないんだ」だの言っていた彼らだが、こうしてそれぞれの人生がそれなりの形に仕上がったわけだ。

価値観なんて人によって違うだろうが、まあ人並みに立派な人生だと言えるだろう。

ただ働きさせられる若者たち

ところで、説明したばかりでなんではあるが、実はこのシステムはすでに崩壊している。いや、それは存在し続けているが、すでに報酬システムとしては機能不全を起こしている。きっかけは、一九九〇年のバブル崩壊から一五年以上続いた不況だ。

先の説明を読めば誰でもすぐに気づくと思うが、このシステムを維持するにはごく基本的な条件がある。それは、「組織が一定の成長を維持すること」だ。

若い頃の頑張りに対する報酬をポストで与える以上、企業側はポストをどんどん増やさなければならない。定期昇給を毎年実施していくためには、売上が上がり続けること（少なくとも高い水準での現状維持）が必須だ。

つまり、これから先何十年にもわたってずっと成長が維持でき、間違っても赤字なんてありえないと断言できなければ、この制度は維持できないのだ。

ところが、二一世紀を迎えた現在、この条件を維持できている幸福な企業は数えるほどしかないだろう。グローバル化によって世界中の企業と同じ土俵で戦うようになった以上、どんなキラーコンテンツを持つ優良企業であっても、そんな悠長《ゆうちょう》なことは言っていられなくなったのだ。海の向こうの競争相手たちは、数千人規模の従業員をあっという間に切り捨てるフットワークを持っている。

その結果、企業内でいま何が起きているのか。数少ない管理職ポストの空席待ちに、（その一つ下の序列の）三〇代から四〇代の社員たちによる長蛇《ちようだ》の列ができているのだ。

この分厚い層を勝ちあがって上に行ける人間は、そう多くはないだろう。

ここで重要なのは、年功序列型組織においては、「序列があがらない以上、基本的に報酬はそれ以上あがらない」という事実だ。社内に一本のレールしかない状況では、これは当然の現象だろう。

この状況を、先の三人の人生にあてはめてみたい。

佐藤君はなんとか課長ポストを手に入れたものの、鈴木君、中村君は結局主任止まりで定年を迎えてしまった。ポスト争いは椅子《いす》取りゲームだ。しかも彼らと同じ主任クラスには、課長昇格の順番待ちをする先輩たちが群れている。飛び抜けて優秀でもない限り、「空いた椅子に先に座るのは彼ら先輩たちから」というのが年功序列のルールなのだ。

「別にポストに就けなくたって、給料は上がるからいいじゃないか」

という意見もあるだろう。ただそれは、定期昇給あっての話だ。

ほとんどの企業が定期昇給を見送るようになって久しい。すでに完全廃止を打ち出している企業も少なくない。少なくとも四〇代以上では、スーパーマン並みの活躍を、それも一定期間続けなければ、まとまった昇給は得られないというのが現実だ。

課長ポストを辛《から》くも手に入れた佐藤君はまあいいとして、鈴木・中村の両名の年収は、おそらく七〇〇万円程度でピークを迎えることになる。単純計算で生涯賃金が三割以上減ってしまったわけだ。

ちなみに、下がるのは給料だけではない。退職金は基本的に勤続年数と基本給で決まるから、基本給が低いまま定年を迎えてしまうとこちらも三割程度下がることになる。もちろん、厚生年金も同様だ。

もし、両名が家のローン残額を「退職金で一括返済」しようなどと考えていたとすれば、老後の人生設計までも大きく狂うことになる。

端的に言ってしまうと、企業内にあった年功序列というレールは、おおかたの企業においてはすでになかば崩壊したと言っていい。

もちろん、順調にレールを進んで、若い頃の働きに見合った報酬を、従来と遜色《そんしょく》なく受け取れる人間もいるだろう。

だが半数以上の人間は〝働き損〟で終わることになるはずだ。彼が受け取るのはポストではなく、やり場のない徒労感でしかない。

これが、若者が会社を途中下車する最大の理由だ。

最初はそんなことには無頓着《むとんちゃく》でも、職場を見渡していくうちに嫌でも現実に気づかざるをえない。社内の人事制度にひととおり目を通し、自分の給与明細と上司のそれとを見比べれば、誰だって「こりゃあ将来、空手形《からてがた》をつかまされそうだ」と気づくのだ。

人事制度が仕事のやりがいを左右する

だが、人生の価値はお金だけで決まるものではない。

世の中には、けっして高賃金ではなくても、立派に社会貢献できる尊い仕事や自分を自由に表現できる創作的な仕事も多い。

要するに、その仕事に携わる本人がどれだけ満足感を得られるかだ。たとえ生涯賃金が三割くらい目減りしたとしても、やりがいのある仕事を定年まで安定して続けられるなら、それも一つの立派な選択肢だろう。

では、年功序列型企業において、末端の若手から中堅社員にやりがいはあるだろうか。

このあたりは、複数の企業、それも年功序列型とそうでないタイプの企業に勤務した人間に聞くのがわかりやすい。

飯塚氏が大手電機メーカーのＳＥ（システムエンジニア）から外資系のコンサルティング会社に転職して、ちょうど一年半が経つ。二八歳の若手である飯塚氏は、この点について非常に興味深い指摘をしてくれた。

「担当するプロジェクト内容は同じでも、業務の割り振りから人員構成、予算まで、あらゆることが一八〇度変わりました。ちょっとしたカルチャーショックですね」

以前は、顧客ごとに組織された部門で硬直的に業務をこなしていたという。いまの会社は、プロジェクトごとに社内外から必要な人員を集めるところから始める。無駄のない、フットワークの軽い組織だ。だが、違いはそれだけではない。

「いちばんの違いは、担当業務が縦に切り出した形で一任されること。もちろん打ち合わせはありますが、基本的に予算も含めた権限がセットでついてきます」

担当業務の範囲が明確だから、自分の裁量で自由に運用できる。以前は就業時間のなかでかなりのウェイトを占めていた〝会議〟が、いまは月に一、二回しかなく、上司と顔を合わせない日も少なくないという。

「前の会社では上司に言われたことをやるだけ。毎日が、課長や部長との会議の連続でしたよ。もちろん、いまの会社では権限がある分、責任も問われます。そこは年俸制ですからね」

なぜ、こういう違いが起きるのか。原因は両社の人事制度の違いにある。

飯塚氏の転職したコンサルティング会社は、「職務給《しょくむきゅう》」という給与制度を採用している。欧米で一般的な給与制度で、担当する職務内容によって給料を決めるシステムだ。

基本的に能力が軸であり、年齢はほとんど関係ない。二〇代でも能力さえあれば大きな仕事を任せられるし、五〇代でも新人と同レベルの仕事しかこなせないようなら、それだけの給与しか支給されない（ふつう、そういう人は途中でクビになるシステムだが）。

仕事内容で給料が決まる以上、誰がどこまでの仕事を担当するのか、その切り分けが非常に明確になされているのが特徴で、飯塚氏が比較的自由に裁量を持って勤務できるのはこれが理由だ。

権限は、能力ではなく年齢で決まる

一方、以前勤務していた大手電機メーカーは、日本伝統の「職能給《しょくのうきゅう》」という制度だ。なんだか難しそうな名前だが、単純に勤続年数を軸に給与を決める制度だと考えていい。

先述の佐藤君たちのように、「初任給から横一列でスタートし、毎年少しずつ上がっていく」賃金システムがまさにこれだ。

このシステムの特徴は、業務の切り分けがきわめて曖昧な点だ。どこまでが誰の担当か、どこまでやったら終わりなのか、非常に見えにくい（日本人の残業時間が先進国中とびぬけて多い理由の一つだ）。

なぜそんな特徴を持つようになったかといえば、これは年功序列制度自体が原因だ。先の職務給と比べるとよくわかるが、こちらの場合、まず〝序列ありき〟ですべてが決まることになる。

もちろん、業務自体は生ものだから、プロジェクトごとに内容は変わっていくが、組織の序列自体は基本的に不変だ。だから、担当する業務内容のほうが流動的でなければならず、結果として「担当範囲がすごく曖昧」となってしまうのだ。

単純化するために、従業員一〇人の会社があったとしよう。

まずなにより先に、その一〇人が年齢によって社長から新人まで序列づけされる。そして、その序列を最優先して、実際の業務が割り振られることになる。

この場合、まずはじめに組織が何をするのかを決めるのは社長だ。

「よし、寄せ鍋を作ろう。詳細を決めてくれたまえ」（社長）
「醬油ベースにしよう。具は何がいいか、おすすめのレシピを作ってくれ」（役員）
「海産物がいいな。君、適当にスーパー回って買い出してきて」（部長）
「じゃあ、タラとカニでいこう。あとは料理しとけよ」（課長）
「はい」（六名の平社員たち）

とまあ、こんな具合に一連の流れが自然にできあがり、末端に下りてくる頃には実に単純な作業に成り果てているわけだ。あとは六名で並んで作業をするだけで、残業でクタクタになるのも、たいていの企業ではこのレベルの人たちだ。

個人の裁量が多少なりともあるのは部長以上で、それより下の序列だと、せいぜい「いかに効率的にこなすか」程度しか頭は使わないことになる。たとえ本人がハーバード大卒だろうがMBAホルダーだろうが、この点だけは変わらない。

どんな組織であれ、組織内の序列はそのまま権限の強さに比例するものだ。偉い人が最初にアウトラインを作り、下位の人間がそれに沿って作業をこなしていくのは当然だろう。

この場合、問題なのは、「その権限を持った人間が年齢という基準だけで決められてしまう」という点だ。若年者のする仕事は作業ばかりとなってしまう。

「だからどうした、年長者を敬《うやま》うのは当然だ」という声もあるだろう。

彼らはこう言うはずだ。経験豊かなベテランだけが権限を独占することで、組織は常に最善の選択をする可能性が高まる。なにより、時間はかかるものの、若者もいずれは序列が上がり、権限の委譲《いじょう》を受けられるときがくるはずだ、と。

だが思い出してほしい。それは、「年功序列というレール」が機能してこそ成り立つ論理だということを。そして、それはすでに崩壊しているということを。

つまり、いまの若者は、下手をするとただの下働きだけで生涯を送るはめになる可能性があるのだ。

お金という価値観から見れば、日本企業のなかでは多くの若者が報われないはずだということはすでに書いた。同時に、「仕事のやりがい」という意味でも、やはり彼らは報われない存在なのだ。

余談だが、飯塚氏は転職により、別に年収が大幅にアップしたわけではない。新しい会社には退職金制度がないから、生涯賃金という意味では損をする可能性もある。

ただ、彼はいまの仕事に満足しているという。

「自分の能力を発揮できるというのは、とても幸せなことですよ」

サラリーマンとビジネスマンの違い

以前、ある戦略系の経営コンサルタントと、このテーマについて話し合ったことがある。

彼は大手外資系のコンサルティング会社に勤務し、頻繁にＣＭを流すような有名企業をいくつも顧客として抱えている。三〇代で年俸三〇〇〇万円以上を稼ぎ出す彼の話で、特に印象に残ったのが以下の言葉だ。

「日本企業でのキャリアなんてわれわれはまったく評価しない。あれは本質的にはマックのバイトと同じだから。そういう仕事を自分の意志で何十年も続けてきた人間は、同情はしても評価はできない」

ものすごく乱暴な論理だが、彼は両制度の違いをよく理解しているように思う。

当然、これとは逆のケースもある。ＩＴ系日本企業の中途採用枠には、先に述べたような外資系企業から、三〇代後半以上のＳＥやコンサルタントなどが応募してくるケースが多い（おそらく、そういう会社はそろそろ年齢的にきつくなってくるためだろう）。

こういう人を年功序列企業の管理職が面接すると、面白い理由で不合格にすることがよくある。

「優秀なんだけど、即戦力じゃないから」

優秀であるにもかかわらず、戦力ではないとはどういうことか。実は、両者の求めるものがまったく違うのだ。

彼ら管理職にしてみれば、作業主体の実務をこなせる部下が欲しいわけで、頭でっかちな理屈屋はいらないという論理だ（そういう仕事は管理職が行うべきもので、わざわざそんな人材を採らなくても、実際のところ社内には管理職があり余っている企業が大半だ）。

職能給をベースとした年功序列型組織と、職務給をベースとした実力本位の組織。どっちが良い悪いは別にして、このように両者はまったく異質なものなのだ。

本来、ビジネスマンという英単語の意味は、自分でビジネスを動かしていく人というニュアンスがある。この単語がそのまま普及せず、代わりに〝サラリーマン〟という和製英語が作られた背景には、おそらく実態として両者は似て非なるものだという認識があったのではないか。

「それでもいまの若者は忍耐力が足りない」と言う人間は、こう考えてみるといい。自身がせっかくいい大学を出て、有名企業に正社員として入社して、いざ配属先が「マックの店内でポテトを揚げる仕事を向こう三〇年間」だとしたら、どういう気分になるか。

少なくとも自分の能力に一定の自信を持つ人間であれば、まず転職を考えるだろう。完全実力主義を採る外資系企業や新興企業は、常に門戸を開いて、進取の気性に富んだ若者を迎え入れている。

年功序列的レールが壊れたいま、若者の首根っこをつかんで「黙って丁稚奉公《でっちぼうこう》しろ」と言うのは、実にナンセンスな話だ。

二七歳でミシュランの工場長を務めたカルロス・ゴーンや、三〇歳でボストン・レッドソックスをワールドシリーズ制覇に導いたセオ・エプスタインGMのような若者は、昔も今も日本企業には存在したことがない。

それは人材の質ではなく、それを許さない人事制度に原因があるのだ。

日本の成果主義は年功序列にすぎない

ところで、ここまで読み進んだ読者のなかには、ある疑問を感じている人もいるだろう。

それは昨今なにかと話題になる〝成果主義〟についてだ。

少なくともこれを導入した企業であれば、「若者にも夢や希望があるはずだ」と考える人は多いかもしれない。

本書の主題からは少し外れるが、重要なことなので簡単にまとめておきたい。

年功序列制度の本質が「若い頃の頑張りに対する報酬を将来の出世で支払う」点にあるということはすでに述べた。

では、成果主義の本質とはなんだろう。

当然、「働いた分の報酬はタイムリーにキャッシュで支払う」ということになる。そういう世界においては〝勤続年数〟や〝学歴〟などといったプロフィールは意味がない。文字通り本人が上げる成果だけが重要なのだ。

当然、年功序列のように、ただ列車の座席に座っているだけではだめで、人は自分で方向を決め、自分の足で歩かなくてはならない。そもそも成果主義にレールなんてものは存在しないのだ。

年功序列とは違い、成果主義からは「競争」「不安定」という言葉をイメージする人が多い。実力のある人間にのみ出世や高賃金が約束されているわけだから、将来のことなんて誰にもわからないためだ。

ところが、こういう観点から現在の日本企業における一般的な成果主義を見ると、いろいろな矛盾が浮かび上がってくる。

成果主義とひと言でいってもいろいろあるが、要するになんらかの手段で賞与や昇給、昇格に格差をつけるということだ。もちろん前述のように、従来の年功序列制度においてもそういった格差は存在したから、新制度ではその格差を「ちょっとだけ広げてやる」ことになる。

ここで重要なのは、そういった新制度が、あくまでも「従来の年功序列制度のレールの上で実行される」という点だ。

給与については、基本的に序列があがらない限りはあがらない。もちろん飛び級なんてまずありえず、新人はいちばん下のクラスから一段ずつこつこつやっていく点も変わらない。

上の序列にあがるためには「二年連続A評価以上」のように、一定の成果の積み重ねが必要となる。従来は〝年〟の部分が重視されていたのが、いくぶん〝功〟の部分に重きを置くようになったというだけの話だ。

つまり、社内にはやはり一本のレール（＝キャリアパス）しかないのだ。

「優秀な人間だけ序列があがれば、それでいいじゃないか」と思う人もいるかもしれない。

だが、それは少し短絡的だ。

先の三人が、ある球団に所属するプロ野球選手だったとしよう。その球団は、フロント社長からGM、監督、選手という順に、序列ごとに基本給が決まっている。

四番でエースの佐藤君は、二年連続五〇本塁打をたたき出し、翌年監督に昇格した。だが、四九本塁打の鈴木君、バッティングはさっぱりだが名捕手の中村君は、プレイヤーとして放置されたままだ。

プロ野球に詳しくない人でも、このチームがとても優勝できそうにないことはよくわかるはずだ。

給料がどかんと増えるのは佐藤君だけで、あとの二人はせいぜいボーナスが若干上がる程度でしかない。「本塁打一本及ばないだけの鈴木君」は、少なくとも佐藤君が退団するまで昇格はありえない。本来もっとも指揮能力がありそうな中村君は、「打者としての実績がない」という理由で一生低い位置に甘んじたままだ（というより、佐藤君に監督ができるのか？）。

「まったくバカなチームだ」と笑った人はよく考えてほしい。現在の日本企業における成果主義は、まさしくこのレベルなのだ。

成果主義は今後どうなるのか？

日本の成果主義普及を考えると、大きく分けてこれまでに二つのステージがあった。

まず、一九九〇年代なかばから始まる第一ステージは、基本的に一般従業員のみを対象としたものだ。従来の制度、組織を温存しつつ、序列の下位にいる末端社員を選抜するのが主な狙いだった。

ポストや人件費を抑えるために導入されたのだから、こうなるのはある意味当然かもしれない。

続く第二ステージは、改革に積極的な企業を中心に、二〇〇〇年あたりから始まっている。第一ステージで導入した成果主義がてんでお話にならなかったために起きた一連の改革が中心だ。これまで手をつけられなかった組織構造、管理職といった序列自体にメスを入れるもので、このステージでの主役は彼ら管理職になる。

先に述べたとおり、企業内で権限を持つのは管理職だけなのだから、彼らが成果に対して責任を負うのは、本来あるべき姿だ。

もちろん、以上の区分けはものすごく大雑把なもので、実際はいきなり第二ステージから入る企業もあれば、頑《かたく》なに第一ステージに固執しているところもある（もちろん、いまだに第一ステージすら躊躇《ちゅうちょ》する企業も多い）。

ただ一つ言えるのは、どちらにせよその本質は「従来の年功序列制度と大して変わらない」ということだ。

キャリアパスが一本しかない組織では、序列が上がることでしかキャリアアップは望めない。ただその基準が〝年〟から〝功〟へ若干シフトしただけの話で、運よく昇格できた人間以外は、そこでキャリアが閉ざされてしまうことになる。

では、より理想的な成果主義とはどのようなものなのか。

それはずばり「キャリアの複線化」にある。

従来の年功序列制度においては、名プレイヤーがそのまま監督に上がるシステムだった。職能資格制度というレール一本しかなく、他に選択肢などなかったためだ。

だが、皆が皆、監督になれる時代などとうの昔に終わっている。これからの時代の監督は、〝監督のなかの監督〟たる能力の持ち主を厳選しなければならない。往年の名プレイヤーにご褒美代わりにプレゼントしてはいけないのだ。

ということは、名プレイヤーには名プレイヤーとしての処遇方法を考えなければいけないわけで、つまるところこれがキャリアの複線化、つまり社内にもう一本のレールが必須な理由だ。

具体的には、各プレイヤーに本塁打に応じた処遇を与えつつ、監督はそれとはまったく別の基準で昇格、降格するシステムが必須となる（職能給制度から職務給への一定の置き換えは避けては通れないだろう）。

これにより、優秀なエンジニアは自分の技術を磨くことだけに専念できる。営業マンは社内政治に気を使わず、顧客との対話に集中すればいい。彼らはそのままで、自分の上司たちより高い報酬を得ることができるはずだ。

最後に、そういった組織を若者の視点から考えてみたい。

彼の前には二つのレールが分かれている。一つは高い権限を含むマネージャーの道。もう一つは高い専門性を持つプレイヤーの道。もう報酬は地位や年齢には比例しない。どちらに進むにせよ、彼がどこまで進めるかは彼次第だ。

日本企業が本気で成果主義を定着させようと考えるなら、以上の方向性に沿った「成果主義の第三ステージ」が必ず必要になる。

二〇〇六年現在、第三ステージに足を踏み入れているのはキヤノンなどごく一部の企業だけだが、ゆくゆくは日本中の企業がこれに取り組むはずだ。

なぜなら、企業の明るい未来は従業員個人の明るい未来の累積だからだ。若者がそれを見出すには、キャリアパスの複線化以外にありえない。

彼らが途中で席を立つ企業は、必ず衰退することになる。

第2章　やる気を失った30代社員たち

それに乗ることさえできれば、誰もが必ず人生の成功者となれる夢のような列車。たしかに、かつてそれは存在したのだろう。

この章では、ちょっとだけ先に列車に乗った〝かつての若者たち〟の現在を追いたい。少なくとも、列車に乗り込んだとき、彼らは輝かしい将来を確信していたはずだ。

ただ、そんな彼らのすべてが、望みどおりの人生を歩んだわけではない。いや、むしろそんな幸運な人間など、全体のごく一部でしかないのかもしれない。

彼らの直面した現実とその思いを聞くことは、これから列車に乗る若者にとって、他のなによりも有益な助言であるはずだ。

最後のバブル世代

今年三九歳になる細谷氏は、都内の大手食品メーカーの管理部門で主任を務める。一九九一年入社の一六年目。ちょうどバブル期最後の入社組だ。

「華の九一年入社組なんて呼ばれてましたよ」

細谷氏はそう言ってかつてをふり返る。

ほとんどの企業が、一九九一年に新卒採用数のピークを迎えた。翌年から大幅減、あるいは採用自体見送りという企業が多いから、いわば最後のバブル世代だと言えるだろう。

昨年あたりから景気が回復したとはよく言われるが、おおかたの企業は、いまだにバブル期の半分にも満たない採用数だ。いかに当時、企業が人を採りまくったかよくわかる。

当然、いまでは想像できないような超売り手市場だった。

内定者に対し、高級ホテルの披露宴会場を借り切って、懇親会という名の拘束《こうそく》イベントを行う。当然、豪華な料理に酒つきだ。

もっと気合の入った会社なら、温泉旅館を借り切って学生を数日間缶詰めにし、外部との連絡を一切絶つ。缶詰めといっても毎日飲めや歌えのどんちゃん騒ぎで、学生をけっして飽きさせない。

それでも辞退する学生には、人事部長が手土産持参で説得に向かう。土下座までした企業もあったというから、なんだか遠い異国の昔話でも聞くような気分だが、この国でつい十数年前に実際に起きた話だ。

当然、採られる側の意識もいまとは大きく異なっていた。

「仕事の内容についてはまったく気にかけませんでしたね。会社の名前と雰囲気、というよりり、なかば成り行きで内定を取ったなかから選んでいました。いま考えるとおかしな話かもしれないけど、当時はそれがふつうだった」

当時は、就職ではなく就社とでも呼ぶべき風潮で、まさに「なんでもやります」的人材がもっとも重宝された時代だ。そして実際、企業のなかでは与えられる仕事をなんでもやるのがふつうだった。

キャリアとは、会社が与えるものだったのだ。

考えてみれば、年功序列というレールの上を走るだけなら、キャリアなんて考える必要はない。そのときどきに応じて必要なことさえこなしていくだけで、社内の序列は上がるのだ。

レールが途切れる瞬間はいきなりやってくる

だが、細谷氏によると、入社から数年後にはそんな空気が変わり始めたという。

「それまで無条件で昇格していた社内資格に、急にいろいろ条件がつくようになった。うちの会社だと、それまで入社八年目で主任昇格だったのが、自分たちの代から実質七割程度しか上がれなくなったんです。あれはショックでしたね。なにか自分があるとずっと信じてきたものが、実は幻だったような……そんな感覚です」

彼自身が頑健無比《がんけんむひ》だと思っていたレールが、実はボロボロの危なっかしい代物《しろもの》だと気づいた瞬間だ。

決定的な転換点はじきにやってきた。昨年、隣の部の一つ後輩が、細谷氏より先に課長昇格したのだ。

「聞いた話では、会社側は成果主義の名のもとに、もう四〇代以上は課長に上げない方針だということです。なんとかして組織を若返らせたいんでしょう」

彼のレールがまさに終わった瞬間だった。

序列が上がらない以上、基本的に給料は上がらない。定期昇給も七年前から見送りが続いており、ずっと給与は横ばい状態だ。

旅の終着点は、予想よりずっとずっと手前だったわけだ。

「ショック？　いやあ、もう慣れましたね。それに実際、僕らのあとから入ってきた人間は非常に優秀ですよ。抜かれてもしょうがないかなとは思う」

そう笑って話してくれた細谷氏は、実はつい前日、本年度中に子会社の課長職として出向することが決まったという。土壇場で、彼のレールは先へつながった。

最後に、いちばん聞いてみたかった質問をぶつけてみた。一〇年前といま、自分のなかで何がもっとも変わったか。

「八〇年代にバンドブームってあったでしょ? 僕も学生時代にやってたんですよ。それをまた始めたんです。バンドのメンバーもなんだか、会社以外の居場所が欲しいと感じているんでしょうね」

レールの上だけが人生ではない。ただ、それを受け入れられるのは、レールで行き詰まってからなのかもしれない。

貧乏くじを引いたのはバブル世代だった

一九九〇年前後に入社したバブル世代は、その後の就職氷河期を経験した世代から「温室育ち」と揶揄《やゆ》されることが多い。採用選考で企業からむちゃくちゃなハードルを課されることもなく、さらには本人の希望どおりの業界に就職できた最後の時代だからだ。

だが、企業内で彼らがたどった経緯を見れば、実はバブル世代こそ、もっとも貧乏くじを引いた存在だということがよくわかる。

最大の原因は、彼らがあまりにも売り手市場だったことにある。

それ以前の世代を含めても、バブル世代ほど、年功序列というレールを深く信頼しきっていた世代はおそらく他にないだろう。

おかげで、彼らはもっとも社会人として重要な最初の数年間を、会社から与えられるキャリアだけを受け取りながら過ごしてしまった。まさに子羊の群れ状態だ。

その後すぐに、氷河期就職戦線を勝ち抜いた狼のような後輩たちが入社してくると、彼らの存在は大いに脅《おびや》かされることになる。

会社の人事制度が変わったのもこの頃だ。成果主義の導入により、もはや勤続年数は決定的な評価基準ではなくなった。つまり、キャリア意識の高い後輩たちと基本的に同じ土俵で戦うことになったのだ。

彼らは同時に〝格差の世代〟でもある。成果主義の波にうまく乗れた人間のなかには、三〇代ですでに部長ポストを手に入れた者もいる。一方で、二〇代の後輩にも追い抜かれ、いまだ主任にすら上がれない人間も珍しくない。

個人的にもっとも同情するのは、彼らの場合、逃げ出そうにもその手段すらほとんどなかった点だ。

前章で書いたとおり、転職市場の拡大は一九九〇年代後半から始まっている。後述するが、それ以前にはそもそも転職という概念すら一般には薄かった。

特に、いちばん転職しやすい第二新卒市場（二〇〇代前半）などまったく存在しなかった時代に貴重な二〇代を費やしてしまったことは、悲劇と言うしかない。

彼らの話を聞くと気づく点がいくつかある。

まず、年功序列のレールは、実際は成果主義導入のずっと前、おそらく一九九〇年代前半の時点で、おおかたの企業ですでに崩壊していたということだ。

彼らの世代は、キャリアがいちばん伸びる時期を上から押さえつけられ、「さあこれから」という時期に成果主義に切り替わった谷間の世代だと言える。

そして、なにより重要な点は、彼らより下の世代では格差はさらに拡大するだろうということだ。いまの二〇代は入社以来、定期昇給を知らず、代わりに成果主義の洗礼を受け続けている。一〇年後にはより明確な勝ち負けの差がついているに違いない。

そのとき自分がどちらの側にいるのか。少なくとも、いつでもレールを飛び降りる準備をしておくことは必要だろう。

銀行神話はいかに崩壊したのか?

かつて祖父と父親は実際にその上を通り、人生の成功者となった。だが、同じレールをたどった息子が見た世界はまるで違うものだった。そんなケースも世の中にはある。

駒井氏（三三歳）は新宿の某メガバンクに勤務する銀行員だ。

「祖父の代から銀行員でした。だから家風というか、小さい頃から将来は銀行へ、という空気はありましたね」

かつて（といってもそんなに大昔ではない）銀行員は、医者や弁護士などの資格業と並ぶ社会的ステイタスだった。同時に銀行は、「三〇歳で一〇〇〇万、四五歳で二〇〇〇万」などと呼ばれるほど、高く安定した年功序列型の賃金制度を維持し続けた組織でもあった。第1章で述べたとおり、「娘の結婚相手にはぜひ銀行員を」と考える親御さんはいまだに少なくない。

旧興銀で役員手前まで出世した彼の父親は、彼が大学三年生のときに定年を迎えた。金融危機と一連の銀行再編前だ。三〇〇〇万円を超える年収と億単位の退職金を手にした父親は、間違いなく輝かしい人生の成功者だった。

「銀行員はエリート、銀行にさえ入ればすべてがうまくいく、そんな考えを知らず知らずのうちに持っていましたね。就職活動は都銀一本でしたから」

駒井氏は慶應高校から慶應大学経済学部と、父親とまったく同じ学歴だ。そう考えると、彼のレールは高校時代からすでに始まっていたのかもしれない。

彼の入行した五年後、日本の金融不安はピークに達する。ようやく迎えたバブルの総決算だ。その過程で、彼の銀行も他行と合併し、業務内容から人事制度まで激変することになった。

「銀行は最初から高給取りなわけじゃないんです。三〇歳を超えてから大きく昇給し、メーカーなんかと差がつくようになる。ところが、これがなかなかアップしない。どうやら経営陣は、われわれの世代の賃金を自分たちの六割くらいに抑えたがっているようなんです」

だが、三三歳にして、彼の名刺にはすでに課長という肩書がついている。最近は、成果主義の恩恵で三〇代後半で課長職に昇格する人間が増えているが、それでも四〇代前半が平均だろう。紆余曲折《うよきょくせつ》はあったものの、少なくとも同期のなかでは彼は出世頭ではないのか。

そのことを聞いてみると、意外な答えが返ってきた。

「肩書だけですよ、部下なんてひとりもいません」

きっかけは、国による公的資金注入だった。不良債権の抜本処理と、公的資金の返済義務を課せられた銀行側は、死に物狂いでコストカットを始めた。目標が達成できなければ、待っているのは完全な国有化と解体だ。

だが、コストカットの矛先《ほこさき》は意外なところに向けられた。

「若手や中堅の主任クラスの人間をいっせいに課長に昇格させたんです。部下のいない、名刺上だけの役職に。それで年俸制にして残業代などの手当を全額カット。実質で二割近い年収ダウンですよ」

管理職に昇格させれば一応は〝経営側〟だから、組合は脱退する。あとは会社のやりたい放題だ。それでも利益が足りないと見るや、彼ら管理職の賞与も標的となった。駒井氏は三年間ボーナスを全額カットされた。

「国有化されて困るのは、いまの役員やＯＢでしょう。役員報酬や退職金返上になるでしょうから。それで現役世代にツケを回してるわけですよ」

以前、支店でこんなやりとりがあったという。

「取引先のなかに一件、企業規模とは明らかに不相応な額の焦げつきがあって、上司に怒られたんです。何をやってるんだと。でも書類を見ると、最初に貸し出したときに承認印を押してるのはいまの役員なんですよ。それを見せたら黙り込みましたね」

誰が悪いというわけではなく、時代のせいかもしれない。ただ、そのツケを払っているのは、彼のような末端の現役行員なのだ。

「四〇過ぎれば蔵が建つぞ」

一応フォローしておくが、銀行業界は（だいぶ下がったとはいえ）いまでも給与水準自体、製造業などより二割くらいは高い。

ただ、この二割というのがくせもので、駒井氏の言うように三五歳未満の人間についてはそれほどの差はない。さらに言えば、それが今後順調に上がっていく保証などどこにもないのだ。

「若いうちは我慢しろ。四〇過ぎれば蔵が建つぞ」と上司から言われても、にわかには信じられない。〃我慢〃という言葉は、この業界でも重要なキーワードだ。

実際、一連の金融統合・再編により、空手形をつかまされたケースは枚挙に暇《いとま》がない。重複部門の統廃合で、約束されていたポストをふいにしたり、取引先に放り出されたりするケースは、どこの銀行でも珍しくない話だ。

この点については、駒井氏も次のように語っている。

「建前は対等合併ですが、内実はぜんぜん違う。うちの支店長はあちらの人間にすげかわったし、自分のいるエリアだけで言えば、この一年で支店長以上に昇格した人間はすべて向こうの系列です」

こうなると、彼のレールも先行きが非常に怪しくなってくる。

にもかかわらず、銀行自体の人事制度全般は、相変わらず強烈な年功序列の空気を多分に残している。

「自分のような〝なんちゃって課長〟より上の正規のポストは、それぞれ学歴と入行年次の〝格〟が決まっている。○×大学以上の学歴で、年齢は四五〜四八歳限定など。レポート宛名や会議の席順はすべてその序列順。関係する部署の管理職全員の学歴・入社年次を記憶しておくのは、若手行員にとっては必須ですよ。異動の度にこのくり返しです」

だが、なにより滅入るのは、彼自身の今後のキャリアパスだという。

「成果主義なんてポーズだけで、若い世代の抜擢《ばってき》なんて絶対ありえない。いまの自分が抱えているような仕事を、下手をすると今後一生続けるかもしれないと思うと、会社に行くのが嫌になる」

考えてみれば、他人の金勘定なんて仕事として楽しいわけがない。それでも銀行員の激務を続けていけるのは、「将来もっと明るい場所に出られる」という希望があればこそだろう。

もし、その場所に行くためのレールがすでになくなっているとすればどうだろう。

三三歳で自分探し

駒井氏は現在、人材紹介会社を介して転職活動中だ。

もちろん、そのことは会社の誰にも打ち明けていない。知っているのは妻だけだ。きっかけは上司に言われたひと言だった。

「早く家を買えと言われたんです。で、自行でローンを組めと。銀行ではふつうのことですよ。父も、そしておそらく祖父もそうしたはずです。でも、妻は大反対しましたね。いまどき何様のつもりだ、余計なお世話だって」

銀行にとって、従業員は社会でも群を抜いた優良借り手だ。本人は真面目でよく働くし、他の民間企業と違って、（ふつうは）倒産による失業の心配もない。と同時に、それは自社への忠誠心を試す踏絵の役割も果たす。転職を考えているような人間なら、自ら進んで手足を縛られるような真似はしない。

「もちろん、転職先としてベストなのは自分のキャリアが生かせる職です。でも、いまは本当にいろんな職種がある……本当に自分がやりたかったことはなんなんだろうって、いまさらながら考えることが多いですね」

自分探しというテーマは、なにも学生だけの専売特許ではないようだ。

その安定性と高賃金にもかかわらず、メガバンクの新卒離職率は（同規模の）製造業などよりずっと高水準だ。その理由は、彼ら若者が先の見えないレールの上を歩かされる点にある。

それは、まさに〝デスマーチ〟だ。

かつて男はそのレールを通って財を成した。その息子の時代、そのレールは磐石《ばんじゃく》で、彼もまた人生の成功者となった。

だが孫の代になると、すでにレールはなかば崩れ去っていた。

最後に、一つだけプライベートな質問をぶつけてみた。

「子供ですか？　二歳の男の子がひとり……彼に銀行は勧めませんよ」

どうやら、曾孫が同じレールに乗ることはなさそうだ。

三〇歳で捨てられる技術者たち

ある中堅の電気機器メーカーでの出来事だ。

その会社、もともとは親会社から受注する業務用の製造機器が主力製品だったが、数年前からシステムメンテナンス方向へ業態をシフトしている。親会社の都合で受注額が減ったためだ。

当然、減った業務分の人員も、新規事業にシフトすることになった。極力若手中心に選んだものの、なかには四〇代のエンジニアも含まれていた。

彼らは新しい業務（ほとんど縁のなかったソフトウェア関連だ）をゼロから習得することになる。もちろん、今後の人事評価は、二〇代の若者たちと同じ土俵で行われる予定だ。

以下の言葉は、そんな彼らのひとりが上司に言ったセリフだ。

「自分たちは、会社に配属された部署で指示されたとおりのことをやってきた。その結果、気がついたら、社内では必要のない技術者になっていた。いったいどう責任を取ってくれるのか」

若い読者のなかには、このセリフを聞いて失笑する人間もいるかもしれない。そこまで会社におんぶにだっこな本人が悪いのだ、と。

だが、たいていのサラリーマンなら、自身のキャリア形成について、「自分の意志よりも会社のイニシアチブのほうが大きい」と感じる人のほうが多数派だろう。年功序列のレールは崩れていても、キャリアは会社が与えるものだ、と考える企業は相変わらず多い。

さて、その〝責任〟だが、端的に言えば誰が悪いわけでもない。あえて言うなら、時代のせいだ。同様のケースは日本中で起きている。

年功序列制度が、若い頃の報酬を将来の出世（昇給、もしくはポスト昇格）で払うものだという話はすでに書いた。そして、それがちゃんと払われる保証なんてどこにもない時代になってしまった、という話も書いた。

だが、技術者にとっての現在の状況は、その他事務系一般よりもはるかに深刻だ。

グローバル化とＩＴ化の波は、精密機械から素材まで、ほぼすべての製造業を直撃している（無関係でいられるのは、手厚い規制で保護されたメディアくらいだ）。

その結果、技術の蓄積よりも、革新のスピードのほうが重要になった業種が急速に増えてしまった。

つまり、「キャリアを重ねても、必ずしも人材の価値が上がるとは言えない」ケースが増えているということだ。

たとえば、ＳＥを大量に採用する新興ＩＴ企業のなかには、明確に「三〇歳ピーク説」を唱え、それ以降の昇給を頭打ちにするところもけっして珍しくない（それが良い悪いは置いておいて、そういった企業がそれで利益を叩き出しているのは事実だ）。

実際、そういった企業の一つでエンジニアとして勤務した経験のある中川氏は、そのあたりの事情に詳しい。

「三〇歳を過ぎると昇給は横ばいになる。無言の圧力ですよ、早く辞めろってね」

それでも辞めない場合、会社から肩を叩かれることもあるという。

「いきなり地方に転勤させたり、畑違いの部署に異動させたり。ああ、この会社はもう自分を必要としていないんだなあって思っちゃうと、モチベーションなんて維持できませんよ、ふつうは」

社内には、一部の管理業務従事者を除き、三五歳以上の社員は皆無だったという。そのことに気づいていた中川氏は早めに転職を意識し、三〇歳の誕生日を迎えた翌月に転職した。

技術者たちはなぜ裁判を起こすのか？

ただ、非人道的ではあっても、そのシステム自体はやむをえない面もあるという。

「システム開発なんて、顧客に近いコンサル的業務以外、純粋な作業なんです。となると、新しい技術に対しては新人も一〇年選手も同じスタートライン。『うちはベテランが多いから、その分、単価を上げてくれ』とは、顧客には言えないんです」

ちなみにその会社、れっきとした上場企業だ。旧態依然とした大手メーカー系よりも、シ

会社を相手に元技術者が起こした訴訟例

東　芝	半導体フラッシュメモリ関連
味の素	人工甘味料アスパルテーム関連
キヤノン	レーザープリンター関連
日立製作所	光ディスク読み取り技術関連
三菱電機	半導体フラッシュメモリ関連

ステム開発においては成長率、利益率共に高い。ＩＴ化が進むなかで、こういった傾向は他の業界にもあらわれている。

とすると、そういった業種の技術者本人にとって、年功序列制度の維持は地獄だ。長い下積みの先には、出世どころか、職種転換や早期退職などのリストラが待っている可能性だってあるのだ。

彼にとっては、働いた分の成果は、将来の待遇という口約束ではなく、タイムリーに現金で支払ってもらわなければ意味がないだろう。

余談だが、近年かつての生え抜き技術者による会社相手の訴訟が相次いでいる。半導体からテレビのブラウン管まで、ジャンルは幅広いものがあるが、彼らの主張を要約すれば以下の一文になる。

「過去の貢献にふさわしい報酬を支払え」

要するに、彼らは皆、空手形をつかまされた被害者なのだ。

本来であれば、彼ら多大な貢献をした技術者は、役員や研究所長として安定した地位を手にするはずだった。

ところが、いつのまにかレールは途切れていたのだ。彼らがたどり着いたのは、期待とはぜんぜん違う殺風景な場所だった（なかには出世どころかリストラされた人間もいる）。彼らが怒るのも無理はない。

裁判所の側も、この手の判断はなかなか難しいものがあるだろう。別に、賃金規則に「報酬は将来のポストで支払いますよ」などという規定があったわけではない。まさしくそれは、「空気のような」価値観の一つにすぎなかったのだ。

いまの会社が依然として年功序列型の賃金システムだという若い技術者は、そのレールがはたしてどこまでつながっているものか、一度じっくり考えてみる必要があるだろう。途中で放り出されたとしても、助けてくれる人はいないのだ。

三〇代が壊れていく

最後に、近年、企業内で顕在化してきたある問題に触れておきたい。それは企業内におけ

社内における「心の病」について

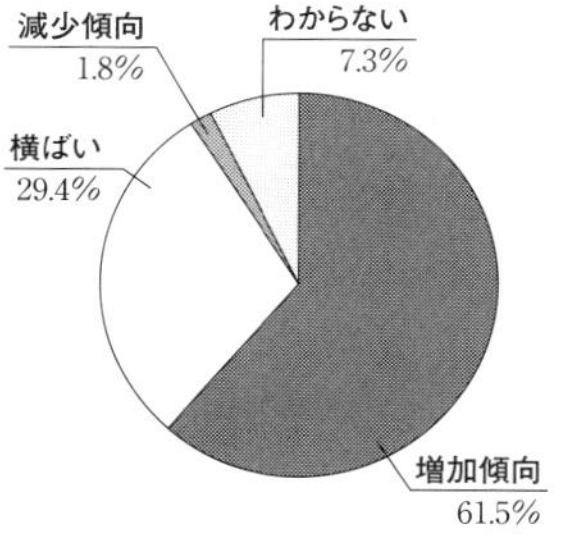

「心の病」のもっとも多い年齢層

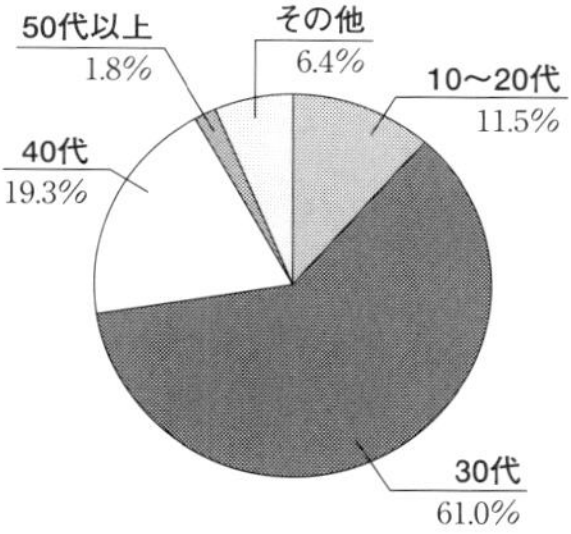

※社会経済生産性本部:産業人メンタル・ヘルス研究所調べ（2006年）

るメンタルヘルスについてだ。

二〇〇五年に、全国に設置されている自殺防止相談窓口に寄せられた電話のうち、三〇代が占める割合が最多であったという発表があった。

もちろん、その全部が会社員というわけではないだろうが、一つ言えるのは、どうやら三〇代は、社会的に受難の世代らしいということだ。

これは別の調査でもはっきりと見て取ることができる。二〇〇六年に企業を対象に実施された調査では、全体の約六割の企業が、従業員の「心の病」が増加傾向にあるとし、くわえてその多くが三〇代に集中する結果となった（社会経済生産性本部：産業人メンタル・ヘルス研究所調べ）。

福利厚生の充実しているはずの大企業でも、状況はまったく変わらない。企業人事同士が何人か集まれば、必ずと言っていいほどこの話題になる。

「三〇代が壊れていく」

なかには、三〇代でのメンタルトラブル発症率が、一九八〇年代までの三倍に激増した企業もある。

いまやどこの職場でも、メンタルトラブルでの休職者や通院者は珍しくない時代だ。部署に三〇人の従業員がいれば、おそらくひとりくらいは抗鬱剤《こううつざい》を服用している人間がいるだろう。

なぜ、彼らは壊れてしまうのか。

よく言われる理由に、成果主義の普及がある。厳しく成果を問われるプレッシャーで、心のバランスを崩してしまうというものだ。

たしかに、そういった例もあるにはある。過酷な長時間労働や、上司からむちゃくちゃなノルマを課され続けた結果、体調を崩すようなケースだ。ただ個人的な経験上、これは割合として多くはない。

なにより、それで心のバランスが崩れるなら、競争社会のアメリカはメンタルトラブルで溢《あふ》れかえっているはずだ。年功序列が依然色濃く残る日本のほうが「鬱は国民病」と言われるまでになった状況は説明がつかない。

さらに、この傾向は公務員にもあらわれている。彼らはようやく成果主義導入について議論している段階だ。プレッシャーを受けるのはまだ先の話だろう。

では、彼らを追い詰める本当の原因とはなんだろう。

レールは三〇代でぷっつり途切れる

それはひと言でいえば、モチベーションの消失だ。

多くの人にとって、年功序列のレールが崩れているにもかかわらず、相変わらず企業内の序列は年功に基づいているという話は書いた。成果主義を入れたところで、この本質は変わらない。

つまり、一九八〇年代あたりと比べると、キャリアパスはずっと早期に打ち止めになってしまう。簡単に言うと、そういった人たちはある段階まで達すると、昇給も昇格もぴたりと止まってしまうのだ（昇給についてはある程度の年齢までは緩《ゆる》やかに続く場合もあるが、それでも序列があがらない以上、年収ベースでは大きくはあがらないはずだ）。

いわば、列車からレールの上に放り捨てられてしまうようなものだ。

たとえば、ある若者が入社し、営業部門へ配属されたとしよう。彼の希望は新商品の企画立案、マーケティングだ。大学でもネットにおける最新マーケティング理論を専攻してきた。もっとも、最初からそんな上流の仕事が任されるとは思っていない。最初は先輩のかばん持ちで得意先回り、あるいは数字を拾って上司から言われた資料作りに精を出す。レールが維持されていれば、彼もいずれは上司の立場に昇格し、当初の希望に沿ったマーケティングや企画の仕事に携われるだろう。

だが、そのレールが途切れていた場合はどうか。彼は定年の六〇歳（もうすぐ六五歳）まで、生涯を一担当として過ごすことになる。マーケティングや企画どころの話ではない。上から言われたとおりに数字を拾うだけの仕事が、四〇年近く続くわけだ。

考えてみれば、数字を拾って資料を作る作業自体が面白いはずはない。でも、それを我慢して、ときには徹夜さえこなすのは、「いずれ上流の仕事ができる」という期待感があればこそだろう。

給料が増えれば、それでも満足はできるだろう。少々不純ではあるが、働く動機をお金に代替できるためだ。

だが前述したように、定期昇給のない現在、序列が上がらなければそれも望めない。

彼が現状を耐える意義はほとんどなくなり、日ごとにモチベーションは低下していく。それでも毎日のように、机には未処理の書類が積み上がっていく。

これはほとんど拷問《ごうもん》に近いだろう。

年功序列制度は、組織の方針を信頼し、将来を託《たく》すという意味で、一種の宗教に似ていなくもない。写経を続ければいずれ極楽へ行くことができると信じられるからこそ、人は写経するのだ。出口のない地下牢の奥で毎日数字を書きなぞっていれば、心身に変調をきたしても無理もない気がする。

企業のなかでレールに乗って順調に先に進めるか、それとも完全にキャリアパスが止まってしまうのか。それが自分ではっきりとわかる年齢は、おおかたの企業において三〇代だ。

これが、企業内で三〇代が壊れていく最大の理由だろう。プレッシャーというよりは、閉塞感というほうが正しい。

ちなみに、年俸制を採る外資系や新興企業なら、業務に裁量があり、成果によっては上司以上の報酬を手にできる。

あるいは、最初の段階から、希望したマーケティングの業務を任されることもあるだろう。成果へのプレッシャーは強いだろうが、閉塞感という意味ではずいぶんと風通しのよい組織ではある。

いずれにせよ、現在の年功序列型キャリアパスの維持がすでに限界に達しているのは間違いない。

増加するメンタルトラブルは、一つの警鐘《けいしょう》と言えるだろう。

第3章　若者にツケを回す国

第1章と第2章でくり返し述べたように、年功序列というレールはなかば崩れている。これから乗り込もうという人、まだ乗って間もないという人は、常にレールの行く手を注視しておくべきだ。それは、ある日ぷっつり途切れているかもしれない。

そうなれば、すでに出世した人間に奉仕し続けても、若者に見返りなどないのだ。ところで、少し列車の窓から外を眺めてみるのも悪くないだろう。すでに述べたように、社会全体もまた、昭和的価値観に支配されている。

それは、簡単に言うなら「年長者ほど有利な世界」だ。その価値観は自ら生き延びるために若者に強く負担を強いてきた。

どのようにして若者が負担を強いられ、なぜそれがまかり通ったのか。本章ではその事実を順を追って見ていきたい。

それにより、昭和的価値観の本質が徐々に明らかになってくる。そして、社会がいかに欺《ぎ》瞞《まん》に満ちたものかがわかるだろう。

未来をリストラした企業

「労働組合が強い国は若者が失業する」とは、よく言われる話だ。

労働者の雇用や賃金が手厚く保護されるのはもちろんいいことだが、それは同時に、「先に企業に入社した人間の既得権の保護」という側面も持つ。

たとえば、二〇〇六年三月に新雇用法に抗議して若者が大暴れしたフランスも、二五歳以下の失業率は平均失業率の二倍、実に二〇パーセント（！）を超えている。フランスは原則終身雇用の国だから、雇用の調整は若者を締め上げることでのみ行われるためだ。

余談だが、問題の新雇用法は、もともとその若年層の雇用を増やす目的で立案されたものだった。この新法の肝《きも》は以下の部分だ。

「二六歳未満なら、理由を問わず解雇できる」

一見すると若者に対してひどく厳しい内容に思えるが、これにより彼らはとりあえず企業に潜《もぐ》り込むチャンスを得られるはずだった。二六歳までにクビになるかどうかは、本人の頑張り次第というわけだ。

そうはいっても、若者を踏み台にするというコンセプト自体は変わらない。結局、学生の根強い反対にあって、同法案は廃案となってしまった。

一方の日本だが、実は状況はまったく変わらない。企業のリストラといっても、せいぜい不採算部門の職種転換、事業売却くらいで、多少強気な企業で早期退職募集くらいだ。原則賃下げや解雇なんてできないから、ほとんどの経営者はまず「新規採用の抑制」で人件費を抑えようと考える。

そんななか、バブル崩壊が企業の雇用計画に与えた衝撃は計り知れないものがあった。それまでの数年間、手当たり次第に新人を採用したツケはあまりにも大きかったのだ。祭りが終わってみれば、「なんでこんなにたくさん採ったんだろう」というような数の人間で、どこの会社も溢れかえっていた。

その後、二一世紀を迎えるまで、新卒採用数が極端に落ち込んだ話はすでに述べたとおりだ。その結果、フランス同様、若年層失業率は常に全体の倍以上の水準で推移している。

ここで、非常に重要な事実を確認しておきたい。

たしかに人件費は抑えないといけないものの、別に企業が「若い働き手を必要としなくなった」わけではないということだ。

すでに述べたとおり、年功序列型の組織なら、基本的に年齢を重ねた人間は（もちろん全員ではないにしても）頭を使うポジションに上がっていき、それを下支えする若い人間が新たに必要になる。つまり、第一線で大して面白くもない作業を黙々とこなしてくれる若い兵隊は、絶対に必須なのだ（たとえば、率先して部の電話に出る部長さんはあまりいないだろ

失業率推移

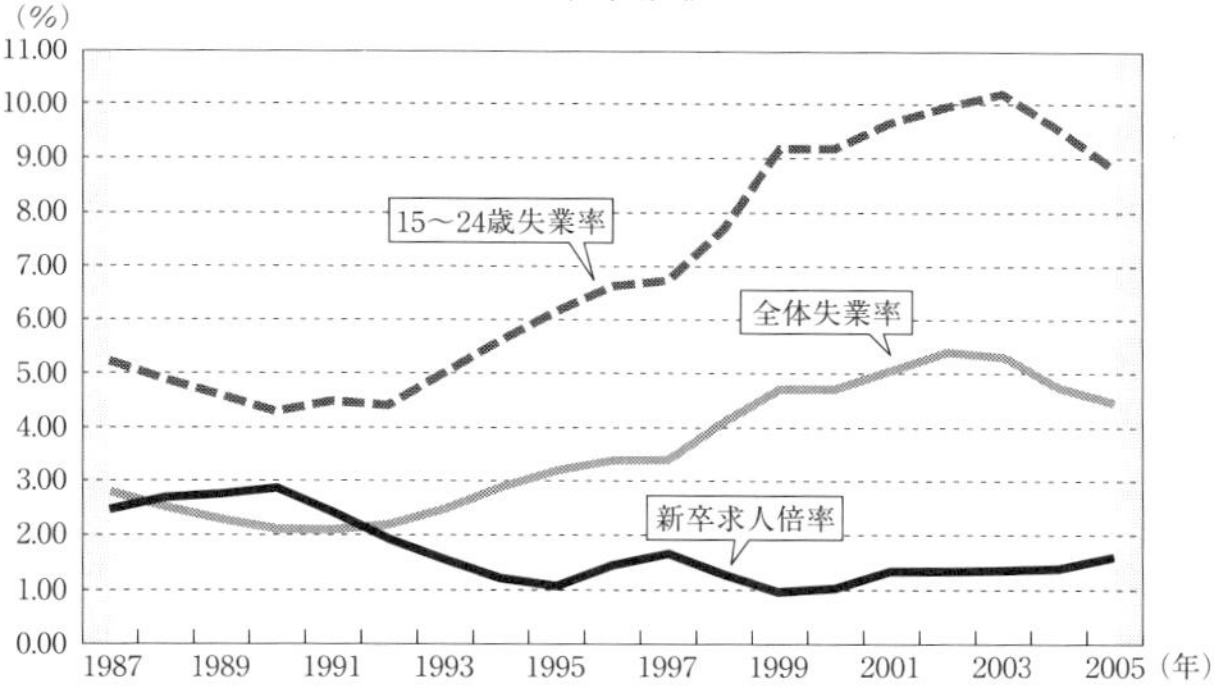

※総務省:労働力調査年報およびリクルート・ワークス研究所:大卒求人倍率調査より作成

う)。

いままでよりずっと安い賃金で、ずっと下っ端のままこき使える存在——そんな便利な存在が、はたして存在するのだろうか。

少なくともバブル以前、そういった労働者はほとんど存在しなかった。誰もが年を経れば昇給していくシステムだったためだ。

それは一九九〇年代、長引く不況のなかで、企業側の強い圧力により新しく作り出されていくことになる。

派遣社員ほど使える存在はない

その便利な存在の代表格は、派遣社員と呼ばれる新しい形態の労働者集団だ。

一九九九年の労働者派遣法改正により、それまで一部の職種に限定されていた派遣社員が、一般的な企業現場のほぼすべての職種で受け入れ可能となった（二〇〇二年の改正により製造現場での受け入れも認められ、事実上、派遣社員の受け入れに関する制限はなくなったことになる）。

もちろん、これら一連の改正の裏には、正社員の人件費高騰《こうとう》に苦しむ経済界の強力なプッシュがあった。

以下は、政府に出された「二〇〇一年度経団連規制改革要望」の一文である。

〈労働者派遣法における派遣対象業務の拡大と派遣期間制限の見直し〉

（前略）労働者の就業意識及び企業の雇用ニーズの多様化が進んでいる。労働者の働き方の選択肢を広げ、雇用機会の創出・拡大のため、現在の規制を見直す必要がある。

要望書のなかには、この他にも、「人材紹介業者が応募者から手数料を徴収できるように」などの生臭いリクエストがてんこ盛りだ。

ちなみに、政府においてこれら一連の要望を討議した「総合規制改革会議」なる組織の議長は、オリックスの宮内会長だ。しかも、その他メンバーには、当の人材派遣業や紹介業者

派遣社員・フリーター推移

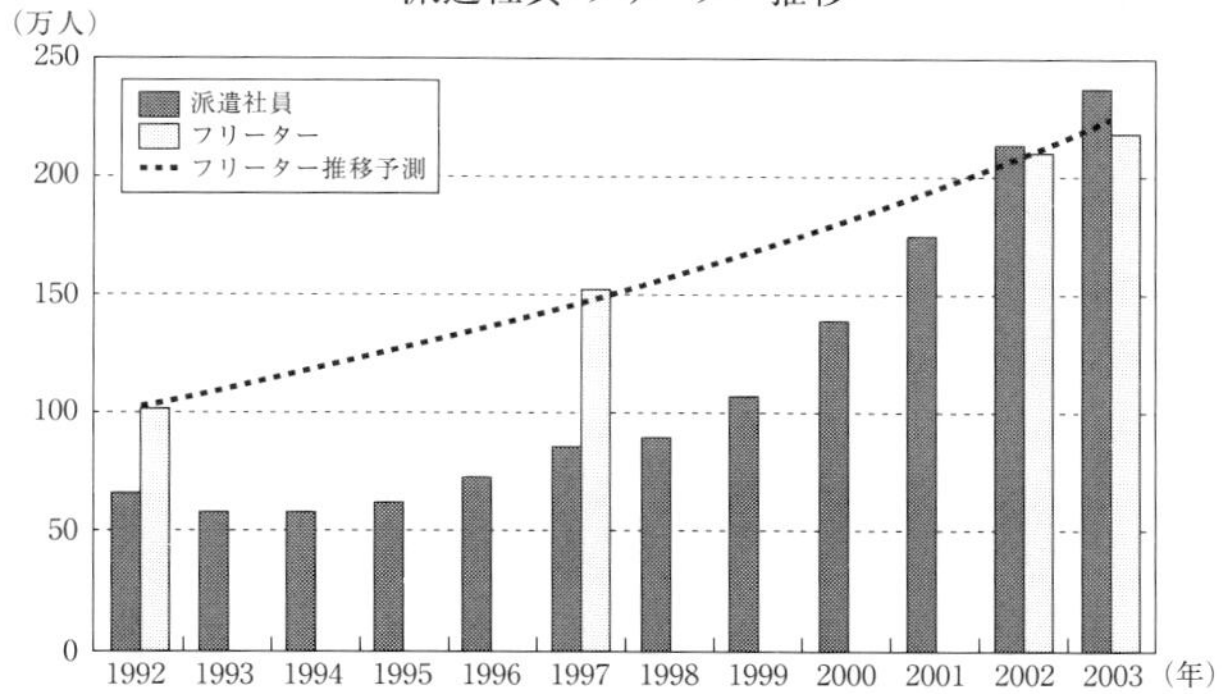

※厚生労働省:労働者派遣事業報告集計結果および総務省統計資料より作成

まで名を連ねており、事実上、経団連と一体の組織と言っていい。

要するに、自分でプランを作って自分でそれを審議しているわけだ。

これら一連の派遣法改正の効果は、彼らの期待以上のものだったに違いない。一九九八年には九〇万人程度だった派遣労働者数は、わずか五年で二〇〇万人を超えた。

彼らの平均年収は三〇〇万円弱。同じ年の正社員の七割程度しかない。

それでも、派遣社員はまだましなほうかもしれない。短期のバイトを中心に生活するフリーターになると、平均年収は二〇〇万円未満。正社員の半分以下にまで下がる。彼らフリーターも、やはりこの一五年で二倍以上に増加している。

これら非正規労働者に共通するのは、彼らには年功序列というレールは最初から存在しないという点だ。

彼らは「一時間いくら」で決められた作業をこなし、総労働時間分の賃金をもらう。何年働こうが、基本的に賃金は上がらない。そう、これは完全に職務給の世界だ。

ただ、職務給とは決定的に異なる点もある。年俸制のように、成果に応じた高い報酬が支払われることなどまずありえない。成果を発揮できるような仕事ではなく、上から降ってくる単純な作業だからだ。

企業にとって、彼らは実に便利な存在だ。彼ら非正規労働者には、賞与も社会保険の企業負担分も、退職金の積み立ても必要ない。有給休暇に関する規定はあっても、額面どおりに支給している有徳《ゆうとく》の経営者はめったにいない。

だが、なんといっても経営者を魅了してやまないメリットは、その多くが組合すら加入していない彼ら非正規労働者は、不要になったらいつでも切れるという点にある。

バブルの宴《うたげ》とその後の悪酔いを嫌と言うほど味わってきた経営者たちは、投資も採用も腹八分という考えだ。

こう考えると、経団連が派遣法の改正に熱心なのもよくわかるだろう。

年齢別非正規労働者数

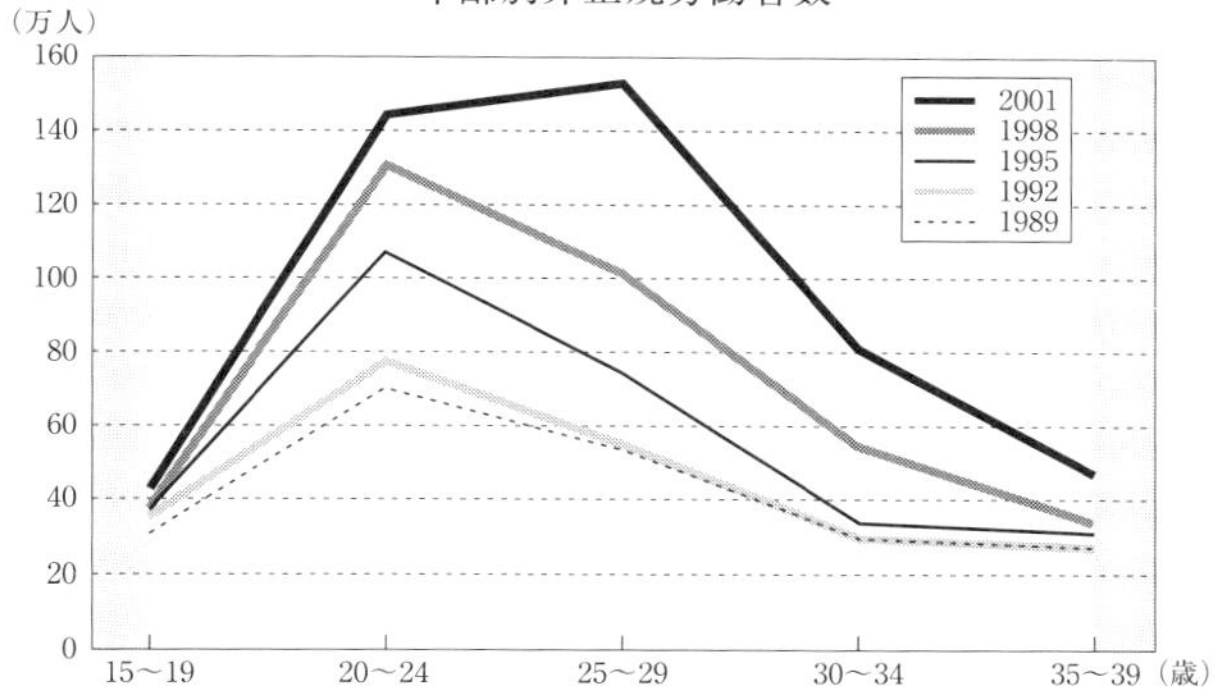

※内閣府:国民生活白書平成15年版

その結果、非正規雇用の約八割が、三〇歳以下の世代に集中している。いまや若年層（二四歳以下）の二人にひとりは、これら非正規労働者だ。

彼らを安月給でこき使うことで浮いた分は企業の利益となり、最終的には上の世代に彼らのレールを進ませる燃料となる。

労働組合という名の年功序列組織

ところで、若者を切り捨てたのは、なにも年老いた欲深い経営者だけではない。

労働組合も、まだ組合費を払っていない将来の組合員には冷酷そのものだ。ここで少し労働組合という存在について考えてみたい。

あまり知られてはいないが、一般に労働組合というのは、会社に輪をかけたようなガチガチの年功序列組織である。各役員や支部長は、まず年齢を基準に抜擢され、同じ専従役員であっても、年長者ほど発言権は強い。

実際問題、二〇代の組合員の発言権など、吹けば飛ぶように軽いのが実情だ（しかも若手の数自体減っているから、さらに発言権は弱まっている）。

結果として、彼ら組合の意思決定権は、五〇代以上の人間がほぼ独占することになる。

この点について、面白い話が一つある。ある企業の労組の依頼で、成果型の人事制度について講演したときのことだ。

会が終わり、組合の書記長が締めの挨拶を述べた。

「われわれの総意として、成果主義には断固反対です」

ところがその直後、青年部（三〇歳未満の組合員で構成）代表が突然立ち上がり、すごいことを言ってのけたのだ。

「ちょっと待ってください。われわれは成果主義には賛成です。勝手に反対しないでください」

その後すったもんだがあったようだが、結局、最後は投票で〝民主的に〟新制度導入には反対と決まったらしい。平均年齢四〇代の企業においては、青年部は少数派なのだ。

一応念のため言っておくが、その手の講演において、私自身は（別途依頼がなければ）人事制度についてとやかく言うことはない。基本的に成果主義、年功序列制度それぞれの現状と問題点を述べ、運用の際の注意事項を指摘するだけだ。

その企業にどのような人事制度がマッチするのかは、業種や経営方針によってまったく異なる。ＩＴ業界のように、バリバリの成果主義でないとやっていけない業種もあれば、出版社のように、年功賃金をベースに職人を育てるべき業種もある。それを決めるのはあくまで企業自身であり、そのための参考になれば、というくらいのスタンスだ。

だが、どんな企業であれ、これだけは言える。

定期昇給もない、かといって成果主義による大抜擢もないでは、若年層としては「やってられない」ということだ。青年部代表が「勝手に反対するな」と怒るのも無理はないだろう。だが、結論としては、彼の意見は無視されたことになる。労働組合とは、経営陣以上に昭和的価値観を持った組織なのだ（政治的にはリベラルな彼らだが、このへんの考え方は保守真っ青なほどに封建的だ）。

人件費はパイの奪い合い

さて、そんな労働組合が会社と交渉する場合、一連の要求項目の上位には「賃下げ反対」「一時金四カ月死守」など、既得権の確保に関するものがズラリと並ぶ。

一応は「後継者の採用と育成」という項目があることも多いが、たいてい要求項目のいちばん下に申し訳程度につけくわえる程度だ。そしてそれは、交渉の過程で「優先度の低い要求」として切り捨てられることになる。

民間企業が人件費に回せる原資は有限であり、そういう意味では、最後は結局パイの奪い合いとなるのはしょうがない面もある。

だが結果的に、そのパイは中高年に優先的に回され、地位も金も持たない若者はすかんぴんのままだ。

労使協調を旨《むね》とする日本型労使関係は、一九八〇年代までは「第三の労使関係」として、アメリカからソ連まで世界中から注目された時期もあった。

だが成長の時代が終わった現在、むしろ弊害《へいがい》のほうが強く目立ってしまっている。

「若い人間は必要だ」（経営者）

「でも、リストラや賃下げは絶対に認められない」（労働組合）

派遣や請負《うけおい》などの非正規労働者の増加は、両者の妥協の産物と言えるだろう。双方が「組織の将来」と「自分たちの立場」を考慮しつつ、もっとも賢明な妥協点を探るというのが、本来あるべき姿であるはずだ。

だが、少なくとも日本においては、その会議に参加する人間は労使共に五〇歳以上限定だ。そのくせ、ツケを一手に引き受けさせられるのは、会議に参加すら許されない若者なのだ。

吐き気をおぼえる政治家の偽善ぶり

経営者には、株主のために利益を上げ続けるという使命がある。彼らの価値観で言えば、利益を出すために誰かを踏み台にすることは悪いことではないのかもしれない。たまたまその対象が若造だったというだけの話だ。

労働組合にも、組合費を払っている現在の従業員のために尽くすという義務がある。それが結果的に誰かを押しつぶすことであっても、弁解の余地はありそうだ。

だが、どう考えても情状酌量《しやくりよう》の余地がない人たちがいる。それは、「広く国民のために存在するはずの政治家」だ。彼らもまた、常に若者を見捨て続けた。以下はその一例だ。

二〇〇五年衆院選の際のマニフェスト（公約）において、「小さな政府」が大きな争点となった。そのなかで公務員改革は一つの焦点と言っていい。自民党のマニフェストを見ると、当初、「定員減による人件費の削減」とうたっている。

さて、二〇〇六年三月、政府は行政改革の一環として、目玉であった公務員人件費削減につき、具体的数値を含む方針を打ち出した。

「二〇一〇年までの四年間で、公務員五パーセント削減」

この五パーセントという数字、最初は人件費総額かと思っていたが、実は人数のことだったらしい。まあここまではいい。問題は以下の部分だ。

「今後四年間、新規採用を二割以上減らし、自然減で対応する」

つまり、またこの国から数千人の若者の職が消えてなくなったことになる。これほど強烈な既得権の擁護《ようご》は、民間でさえそうはお目にかかれない。

はっきり言って、公務員なんて完全な年功序列だ。つまり、いちばん給与の安い下っ端を減らしたからといって、浮いた人件費などたかがしれている。

どうやら与党にはまったく期待できそうにない。では、野党側はどうだろう。

民主党・岡田代表が先の衆院選期間中に出した公務員削減計画は、以下のとおりだ。
「新規採用を三分の一に抑制し、給与・諸手当の見直しを行うことで、三年間で約一兆円削減」

なんと、民主もまったく同じ。しかも採用抑制の幅は自民よりもっと大きい。どうやら彼らは、若者を切り捨てることで一兆円の帳尻を合わせるつもりだったらしい。（間違っても与党になることはないだろうが）一応、社民・共産も見ておくと、こと公務員改革については〝削減〟という文字すら出てこない。何もしないで済む問題とは思えないし、彼らの普段の言動を考えるに、やっぱり彼らも採用減で対応する可能性が高いだろう。

どうやら保守もリベラルも関係なく、彼らは「反若者」とも言うべき共通の大連立を組んでいるようなものだ。

なぜ彼らがこういう露骨《ろこつ》なえこひいきをするかというと、はっきり言って選挙のためだろう。年長者に比べて政治意識が低く、投票率も低い若年層よりも、ちゃんとお返し（投票）してくれるような人たちにサービスしたい気持ちはわからないではない。

特に、公務員の労組を大票田《だいひょうでん》とする民主には、最初から期待などするべきではなかっただろう。

ただ、少なくとも公益というものを掲げている以上、彼らがやっていることは露骨な利益誘導でしかない。自称リベラルな政治家が、「国民の皆さんの雇用を守ります」と連呼しつつ、新規採用削減に賛成しているのを見る度、その偽善ぶりには吐き気をおぼえる。性質《たち》の悪さで言うなら、頑迷《がんめい》な経営者などよりこっちのほうがはるかに上だろう。

老化する企業

もし仮に、限られたパイを奪い合うしか組織の生き残る道がないのだとしたら、誰かが犠牲になるのはやむをえないことだ。そして、その役目を若者に押しつけることも、一つの答えかもしれない。

「若いんだから苦労しろ」というのも一つの論理ではある（逆に、「もう十分楽しんだろうから早く引退しろ」という論理もしかりだ）。

だが、それは、年功序列型の組織にとって諸刃《もろは》の剣でもある。

実はいま、長く続いた企業の採用抑制によって、企業内ではある変化が起きている。それは、ひと言でいえば組織の老化だ。活力を失い、新しい技術を知らず、ミスが多くなる……そんな企業が全国に増えている。

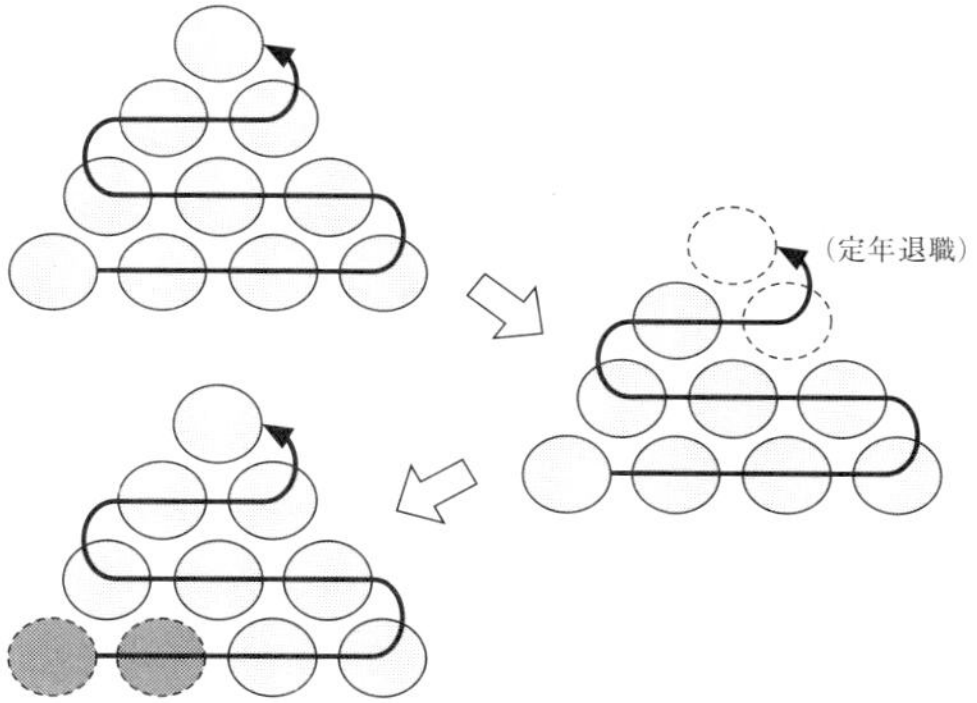

若い血が途絶えると、はたして企業内で何が起こるのだろう。

わかりにくいので図で考えてみたい。従業員一〇人の年功序列型企業を、ものすごく大雑把に表現したものが上の図だ。

ある年に定年退職者が二人出たとすると、残った従業員は一段ずつ上にくりあがることになる。矢印はその流れをあらわすキャリアパスであり、まさに一本しかないわけだ（同じ序列でも成績のいいものから昇格する）。

当然、組織を支える若くて生きのいい土台が二人必要になるわけだが、ここで人件費抑制を理由に、正社員の代わりに派遣社員二人でまかなったとする。

一応見かけ上は組織構成の維持ができてはいる。しかも、新人分の人件費は大幅にカットしたうえでだ。

だが、これで本当にすべてが従来どおりに進むのだろうか。建物でもそうだが、土台に手抜きをすると、あとから思わぬしっぺ返しがくることがある。

途絶える技術継承

「バブル崩壊から九〇年代を通じて、新人の採用は最低限に抑えてきました。一時は斜陽産業の代表みたいに言われてましてね」

伊藤氏は中堅鋼材メーカーの人事担当役員だ。この一五年間、ずっと採用を見守り続けている。

業界の流れが変わったのは一九九〇年代後半から。中国向け特需《とくじゅ》で、鉄鋼関連は急激に売上を伸ばした。かつての斜陽産業は、いまや花形産業の一角だ。

だが不思議なことに、採用方針については見直されることはなかったという。以前は高卒エンジニアだけで年二〇人ほど採用していたという同社も、ここ一〇年間、高卒は一名も採っていない。

代わって社内に入ってきたのは、派遣や請負、つまり非正規労働者だった。

「ちょうど派遣法が改正され、営業や製造ラインにも派遣社員受け入れが可能になった。経営陣は短期の利益を積み上げるために、正社員を増やさず、派遣や請負でまかなうという発想になってしまっていました」

つまり、「安くていつでも置き換え可能な土台」を使ったわけだ。

だが数年後、思わぬ形でしっぺ返しを受けることになる。

「二〇〇七年から団塊世代が定年を迎えます。その数は五年で全社員の二割強。ところがこの一〇年、各職場に配属された新人はトータルでひとりいるかいないか。後継者の育成がまったくできていない……現場はいま大混乱です」

一九九〇年に平均年齢三五歳だった会社は、いつの間にか四二歳に老けていた。

人件費をいちばん賃金の安い新人をカットすることで抑えてきたツケだ。財務上は人件費を抑えられたが、目に見えない部分で企業価値は確実に下がっていたのだ。

「鉄鋼や鋼材の技術職というのは、実はベテランに依存する部分が大きいんです。だから、人を切らずに残す戦略は間違ってはいなかったと思います。でも、非正規の労働者は平均すれば二年にも満たない勤続年数しかない。だから、けっして技術の継承はできないし、彼ら自身にもその気はない。いつの間にか、企業としての技術蓄積が完全にストップしていたわけです」

同社はいま、置き換えできない技術者を中心に、定年後再雇用という形で会社に残ってもらうことを要請している。若い後継者をその間に採用し、育成する予定だ。

だが、状況は他社もまったく同じだ。製造業から金融まで、日本中のあらゆる企業が、来年からの採用大幅増に踏み切っている。そんななか、後継者候補となる新人を一定数確保するのは至難の業だろう。

年功序列という制度は、職人を育てることのできる世界で唯一の雇用形態だ。長く働いてもらうことで、蓄積されたノウハウを学ばせ、さらにそれを継承していける。

だが、その流れを断ち切ることは、培《つちか》った技術の継承を断ち切ることになる。それは、日本企業の強みを捨てることだ。

年功序列制度の限界を「若者を組織から締め出すこと」だけで回避しようとすれば、企業は確実に老いる。技術は継承も蓄積もされず、ある日突然ぽっくり逝《い》くことになりかねない。

団塊世代が現役を引退する二〇一〇年前後、ひっそりと老衰を迎える企業が出てくるかもしれない。

二一世紀の蟹工船《かにこうせん》

そうは言っても、たとえ派遣社員という形であれ、若手が入ってくればまだいいほうかもしれない。もう単純に働き手がいないという現場も、社会にはいくらでもある。

「仕事はものすごくやりがいがありますね。任される部分も多い。女性だからどうとかいうのはあまりない業界だと思います」

こう語るのは、大手出版社に勤務する藤田さんだ。

入社三年目の彼女の担当は、入社当初の希望どおり、週刊誌の編集だ。彼女の書いた記事は、全国の本屋からコンビニまで、どこでも目にすることができる。女性の感性を生かし、雑誌編集者としてバリバリ仕事をするのが夢だったという彼女にとって、すべてが順風満帆《じゅんぷうまんぱん》に見える。

だが、彼女の悩みは、ずっと憧れだったはずの仕事の量にあった。

「もうとにかく忙しい。噂には聞いていましたが、想像以上でした。毎週徹夜があるし、オフの時間もアンテナを張って過ごさないといけない」

月の残業時間は平均で一七〇時間（！）を超えるが、それでも部内では少ないほうだ。昨年からウェブ版のコンテンツ編集も担当することになり、業務量は倍近くに増えた。

昨年取得した年次休暇は二日だけ。一日は役所手続き、一日はインフルエンザで三九度の熱が出たときだった。

だが、彼女が殺人的に忙しいのには明白な理由がある。一〇年以上前から同社の仕事を請け負っているカメラマンは、その理由をずばり指摘してくれた。

「一〇年前、あの編集部には編集長以外に二〇代の人間が四人、三〇代の編集者が三人もいた。いまは編集長以外に肩書だけのデスク職が増えて、管理職が三人もいる。でも実際に取材に行く現場の人間は三〇代二人、二〇代は彼女ひとりだけです。そりゃ忙しくもなるでしょう」

要するに、新人を補充していないのだ。単純計算で業務が倍になっているわけだ。それでいて、年収一〇〇〇万を超える管理職は三倍になっているから、部の人件費自体は下がるどころか増えている。派遣を入れるコストすらないのが実情だろう。

われわれはここに、年功序列制度が持つ最大の矛盾を見ることができる。

一本のキャリアパスを維持するためには、組織が拡大するしかない。それが無理な場合、往々にして組織内に無駄なポストが増える。そしてそれは、人件費を圧迫し、現場力の低下となって若手の負担を増やしてしまう。

彼女はものすごい重さの荷物を担いで、日々の仕事をしているようなものだ。誰かのために労働基準法無視の激務に耐える姿は、さながら蟹工船のようでもある。もっとも、蟹工船の乗組員たちは家族のための労働だったが、彼女の場合、縁もゆかりもない年配者のためだ。

余談だが、かのＪＲ西日本の事故を起こしたとされる運転士は運転席に立つようになって一年足らず、まだ二三歳の若者だった。

ＪＲは一部の幹部候補以外、長年新規雇用を抑制してきた経緯がある。そのため、民営化から一九年、つまり現在の三〇～四〇代前半の世代が、極端に数が少なくなっている。まさに技術の空白地帯が生じたわけだ。

そんななか、経験の浅い運転士が第一線に立ち続けなければならなかった状況を考えると、これは本人の責任だけで済ませる問題ではないだろう。

未来をリストラして生き延びてきた企業と、それを黙認してきた社会。その矛盾は深く広く存在している気がしてならない。

年功序列が少子化を生んだ

本書ではこれまで、残された年功序列というレールを維持するために若者が切り捨てられている事実を述べてきた。企業という列車に乗る手前で、あるいは列車のなかでさえ、彼らは重い犠牲を強いられ続けている。

言い方を換えれば、すでに雇用している人間の既得権を維持するために、若者の雇用を犠牲にしたわけだ。

そうなってしまった最大の理由は、社会全体が例の昭和的価値観に基づいた強い年功序列組織だからだ。組合、政党、そして経団連も、意思決定プロセスに参加するのはみな五〇代以上の既得権層だ。そこに若者の代表者はいない。

企業の役員会で、または労働組合の総会で、そして国会の場でも、年長者たちは額を突き合わせ、自分たちの既得権を守るために若者を切り捨てることを取り決めた。そしてあとには、歪《ゆが》んだ負担の構図だけが残ることになった。そして、歪みは必ず矛盾を生む。

仕事で呼ばれた会社で、さも誇らしげにこんなことを言う経営者や労組幹部に出会うことがある。

「わが社は賃下げやリストラは一切していません。従業員は家族ですから」

だが蓋《ふた》を開けてみれば、「ここ三年間、正社員採用ゼロ」というようなケースは珍しくもない。

それでいて、現場に行ってみれば、疲れきった顔の派遣社員がこき使われていたりする。もちろんみな二〇代。少なくとも、年長者から見れば、彼ら派遣社員は家族とするには値しない生き物らしい。

彼らが行っている仕事は、正社員である先輩たちがやっていた仕事となんら変わらない。違うのは、彼ら非正規労働者の人件費コストは先輩たちの半分以下であること、そしてその仕事は、どこにもレールのつながっていない〝ただの作業〟であるという点だ。

だが、忘れてはならないのは、若者も先輩たち同様、ごくふつうの人間だということだ。生命力も気力も（そして忍耐力も）従来の世代よりひと回り強いスーパーマンぞろいならいざ知らず、ふつうの人間なら負担が増えた分、必ずどこかで手を抜く。

もちろん、手を抜くのは会社での仕事ではなく、社会におけるもう一つの仕事だ。そう、それは次世代を作り育てるという、本来若者が持っている役割を放棄することだ。

先進国中、群を抜いた日本の少子化の原因は、ここにあると見て間違いないだろう。

以上のような話をすると、よくこんな意見を言われることがある。

主要国出生率の推移

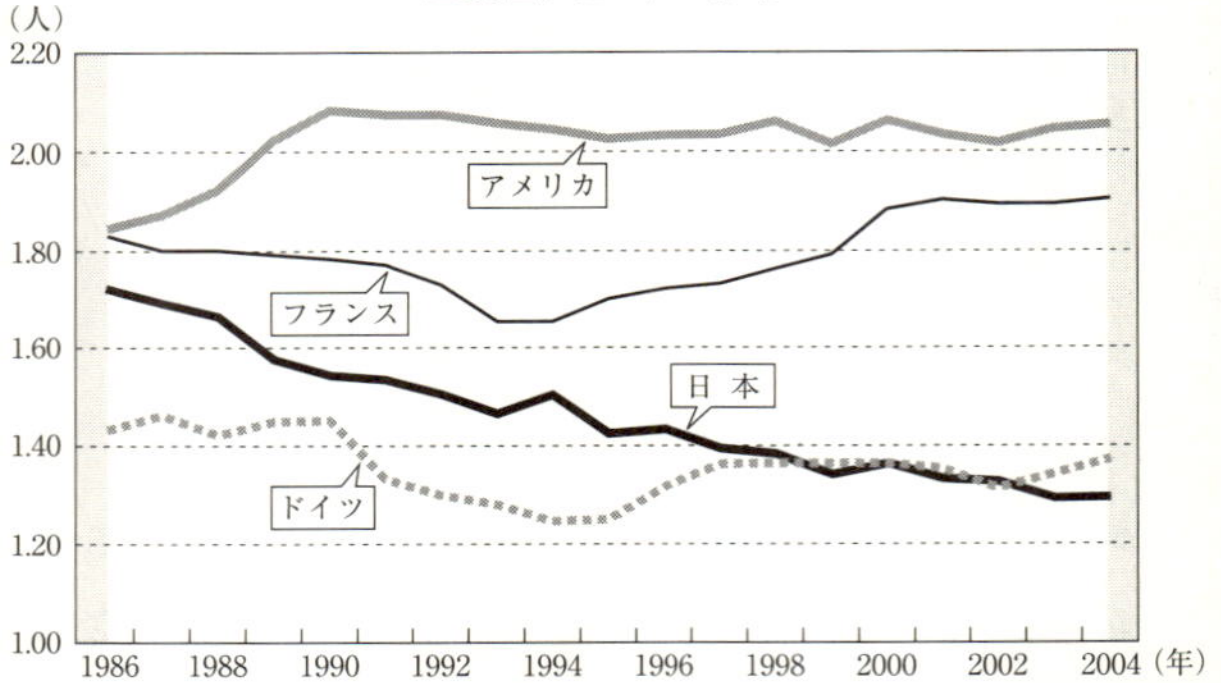

※国立社会保障・人口問題研究所：人口統計資料集2006

「扶養《ふよう》家族もいない世代の給料なんて、安くて当然でしょう」

逆に言えば、低い賃金の連中は子供など作るな、ということらしい。この意見は、図らずも少子化の理由と結果を正当化してしまっている。

たしかに、賃下げやリストラをすれば非難囂々《ごうごう》なのは間違いない。された本人は路頭に迷うかもしれないし、破産して首を吊《つ》る人間も出てくるかもしれない。

だが、将来生まれるべきであった命もまた、同等の価値を持っていたのは間違いない。彼らはけっして非難もしないし、化けて出ることもない。ただただ、存在の可能性を失っただけなのだ。

二〇〇七年から、いよいよ団塊世代が大量に定年を迎え始める。その数、正社員だけで二八〇万人以上。会社のなかではもっとも高給取りのグループだ。彼らが受け取る退職金額はおよそ八〇兆円にも上る。

経済アナリストのなかには、日本に新しい中高年市場が誕生し、新たな市場牽引《けんいん》役となることを期待する向きも強い。実際、すでに郊外の住宅やリゾート物件、中型以上のバイクなど、シニア世代向けの贅沢品需要は伸びつつある。

だがその裏には、正社員の半分以下の賃金で、派遣や請負、フリーターとして使い捨てられる若者の存在があることは忘れてはならない。

彼らが〝人並みの〟収入を得て、結婚し子供を作る代わりに、社会はリゾートマンションや大型バイクの売上を選んだわけだ。

企業は社会の縮図だ。「最近入ってくる若い人が少なくて、年寄りばかりが増えた」と嘆く人がいるが、それはそのまま社会全体にもあてはまる。

企業は次世代をリストラすることで、企業自体の未来も危うくしていると書いた。社会もまた、若者を犠牲にすることで、その未来を失おうとしている。

福祉という名の収奪

少子化が進むことで、結果的に崩れた社会的システムもある。

日本における社会保障給付費は、伝統的に「上に厚く、下に薄い」スタンスを取ってきた。若年層は給料が安くとも年功序列というレールで必ず収入増が見込め、基本的に雇用も安定したものだったから、それはそれで合理的なシステムだった（これも一つの昭和的価値観だろう）。

言い方を換えれば、若者の雇用と技能習得は民間企業が受け持っていたわけだ。

これはそのまま、予算の使われ方にあらわれている。日本の社会保障給付費は八六兆円（二〇〇四年度）。年金や医療費、失業給付や児童手当などの名目で、国から国民に支払われた合計金額だ。内訳で見ると、医療費や年金など、高齢者向けの支払いが全体の七割以上を占める。児童手当など少子化向けの予算はたったの三・七パーセントにすぎない（ヨーロッパでは高齢者向けはたいてい四〜五割程度、逆に若年層向けは一割ほど確保されている）。

いかに日本の社会保障が偏《かたよ》っているかわかるだろう。

「若者の安定雇用と将来の収入増」という大前提が崩れ、しかも少子化に歯止めがきかないいまとなっては、この偏った社会保障システムは、まったく不条理きわまりない時代遅れの遺物と言っていいだろう。

一応断っておくが、私はけっして高齢者向けの予算をカットしろと言っているわけではない。日本の社会保障給付費のＧＤＰに占める割合は、先進国中もっとも低い水準だ。増やす余地があるならば、若年層向けの予算を増やせと言っているのだ（もちろん、それが不可能な場合はこの限りではない）。

このなかで特に緊急性があるのは年金問題だろう。

厚生年金をサンプルに説明したい。日本の年金システムは、現役世代の保険料で引退した受給世代を養う賦課《ふか》制度を採用している。

だが、少子高齢化の進展により、二〇一〇年頃には、受給者が現役世代を逆転することが確実な状況だ。

現状でも、二〇〇四年度の収支では、保険料プラス国庫負担で約二七兆円、支給額は約三二兆円と、すでに実質五兆円の赤字に陥っている。

この状態で、団塊世代が受給に回る二〇一五年を迎えればどうなるか。厚生年金と国民年金を合わせて、年一〇兆円を超える赤字に陥るのは確実だろう。

こうなると完全に制度としては破綻するので、国は二〇〇四年に大幅な年金改革を実施し、保険料と国庫負担金の引き上げを図った。それまで年収の一三・五八パーセントだった保険料は順次引き上げられ、最終的に二〇一七年以降は一八・三パーセントに固定される予定だ(ちなみに一九六五年の時点での保険料は五・五パーセント)。

なぜこれほど大幅に、それも団塊世代定年目前で急に負担を引き上げねばならなかったのか。

官僚に言わせればこうだ。

「予想外に日本人の寿命が延び、また少子化が進んだのだ」

本当にそうだろうか。日本の出生率は一九七五年ですでに二・〇を下回っていたし、平均寿命も七〇歳を超えていた。〝予想外〟だの〝気づかなかった〟だのは、単なるあとづけの言い訳だろう。

寿命は延び、子供の数は減る一方。しかも物価上昇で給付金自体も増えていく。誰が考えても、いずれこうなることは明らかだったはずだ。ふつうなら、気づいた時点で保険料を引き上げるか、システム自体を見直すべきだったろう。

老人と共に沈む国、ニッポン

では、なぜ誰もそれをしなかったのだろう。

官僚はもちろん、政治家も学者も、そしてメディアさえも、この問題を真剣に取り上げることはしなかった。

それは、彼らが年功序列のレールの上で生きてきたからだ。自分たちが血を流すより、将来の世代に問題を先送りすることで、既得権を守ることができる。にっちもさっちもいかなくなったら、そこで手を打てばよい。そしてそれは数十年先の話だ。

「大丈夫！　何も心配することなどないから、安心して保険料を納めてくれ」と若者に言いつつ、請求書の宛名は若者に書き換えられているわけだ。

社会は雇用だけでなく、年金においても若者を踏み台にしたのだ。どうやら彼らは、若者が心底憎くてたまらないらしい。

この考え方は、国政全般に見て取れる。

本当の改革なら、必ず誰かが血を流す（既得権にメスを入れない改革などありえない）。

問題の本質にメスを入れることを避け、国債の発行でその場をしのげば、とりあえず誰からも非難はされない。だが、その結果が八〇〇兆円を超える債務残高だ。地方債も入れれば、

社会保障給付費の推移

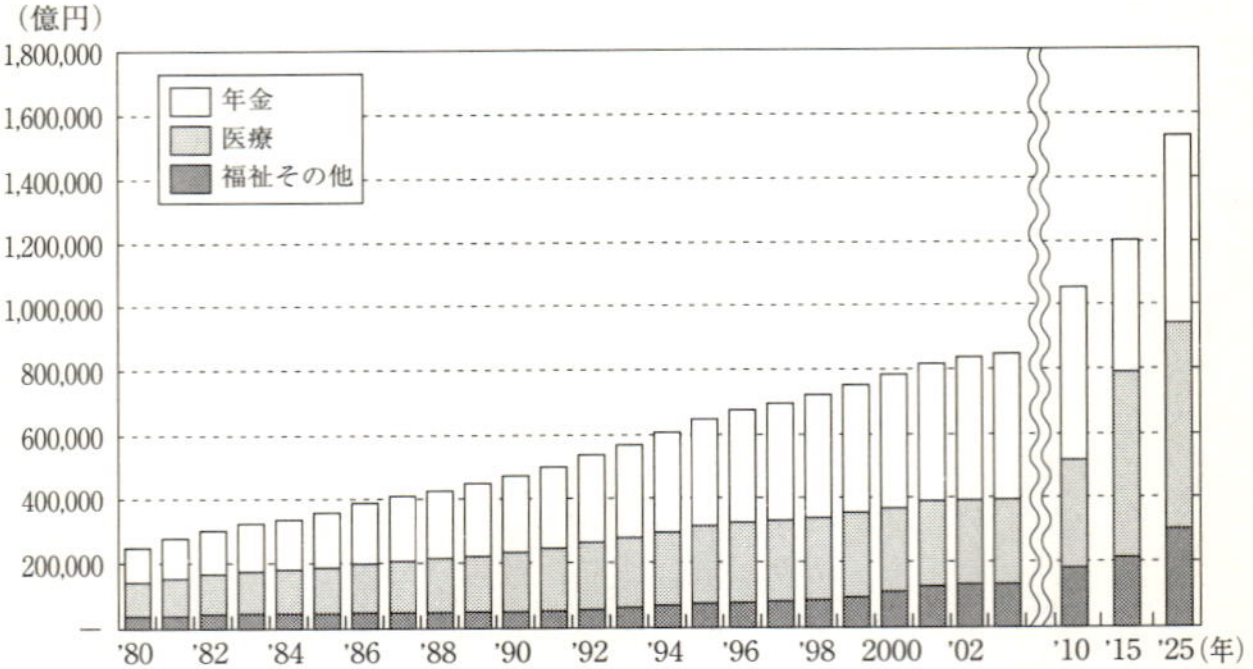

※国立社会保障・人口問題研究所:社会保障給付費(2010、2015、2025年数値は厚生労働省予測数値)

国の借金は優に一〇〇〇兆円を超える。

重要なのは、そんなことをくり返しても問題はなんら解決されていないという事実だ。単に将来の世代へ先送りしただけでしかない。そしてその世代の人間は、まだ選挙権すら持たないか、最悪生まれてもいない。

いずれ、問題はより深刻な形で顕在化することになるが、その頃には責任者はとっくに現役から(あるいは現世からも)引退している。

そういう意味では、年金も国債も火のついた爆弾を次世代にリレーしていくようなものだろう。だが、残った導火線はもう長くない。

厚生労働省の試算では、団塊世代が年金の受給を開始する二〇一五年以降、社会保障給付費は一二〇兆円を突破する。税収四五兆円、世界でもっとも少子高齢化の進むこの国でこれを支えなければならない時代は、もうすぐそこまできているのだ。

それが可能だとはとうてい思えない。少なくとも、われわれは強欲で恥知らずな老人どもとは別の選択肢を採るべきだ。

では、どうするか。少なくとも厚生年金については、今回の保険料引き上げですべてが解決するとは考えにくい。

実際、二〇〇四年の年金制度改革の際、厚労省が根拠としていた出生率の底値は一・三であり、今後一・三九まで回復することを前提とした新システムだった。

だが、二〇〇四年の出生率は早くも一・三を割り込んでいる（一・二九）。「一〇〇年を見通した年金制度」が、一年たたずに崩れたわけだ。

おそらく、近い将来に「保険料の値上げと支給額のカット」が言い出されるのは間違いない。そしてまた現役世代の負担が増え、さらに少子化脱出の重石となる。

一部からは、保険料を据《す》え置いたまま支払い分を税金でまかなう案も出ているが、それは結局形を変えて現役世代が負担することでしかなく、少子化を加速させるだけだ。

これでは負の連鎖はとどまりそうもない。

年齢別資産状況

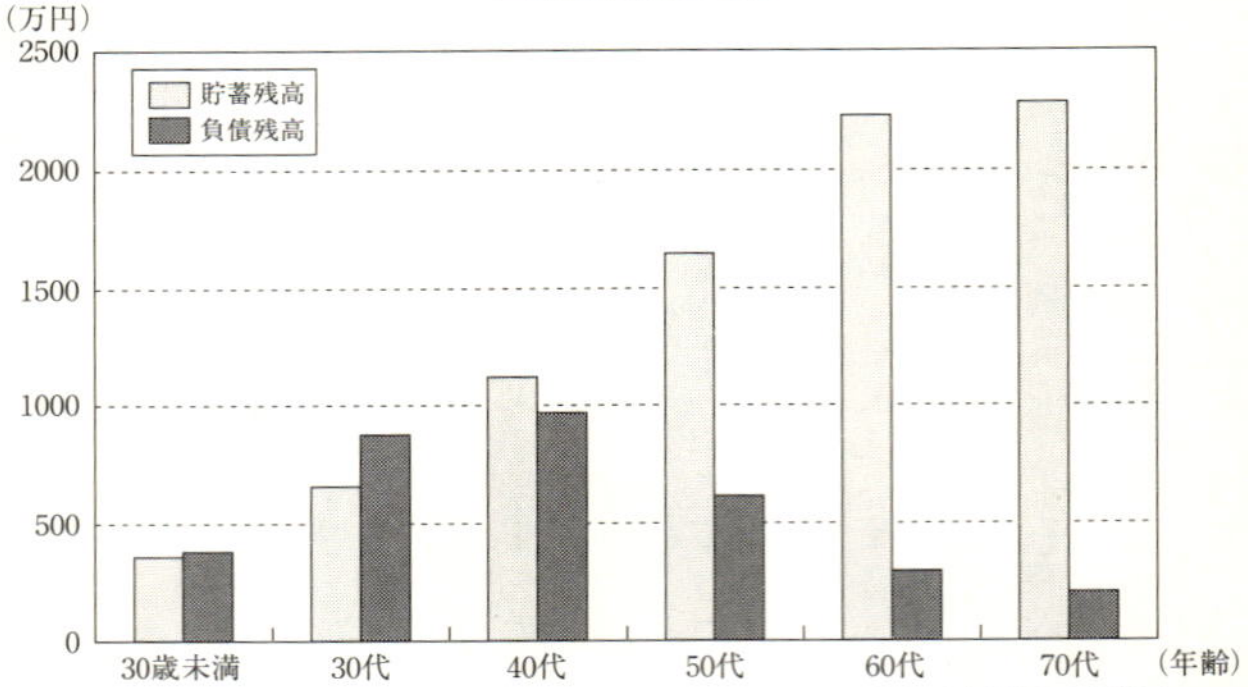

※総務省:全国消費実態調査2004

もっとも現実的な方法は、現役世代の保険料は純粋に積み立てに回す積立方式に変えることだろう。

この場合、受給者への支払いは、時限的な税金と積立金をベースにしてまかなうことになる（現在積立金は残高一四〇兆円存在する）。児童手当を増額する一方で、年金保険料も増やすなどという矛盾した政策より、はるかに合理的なはずだ。

もし、「積立金には絶対に手をつけない」というのであれば、残る手段はただ一つしかない。

それは（すでに受給している世代も含めた）年金支給額の即日大幅カットだ。

それにより、「今後どの世代も公平に受け取る額が減る」ことになる。なにより、ねずみ講のように、あとからの加入者が先人たちに食い物にされることもない。こんなに公平で皆が納得できるプランはないだろう。

「高齢者が生きていけない」という主張にはなんの論拠もない。六〇代平均貯蓄残高は三〇代の三・五倍ほどあり、負債残高は四分の一未満だ。

それに、少なくともいまの三〇代の三〇年後よりは、彼ら高齢者は間違いなく金持ちだ。なにより（ふつうは）子育てからも解放されている。

であれば、子育てや住居購入など消費額の多い現役世代に余力を残すのが正論だろう。もう耳にタコができるほど言ってきたことではあるが、最後にもう一度言う。

若い世代に「心配しなくても将来出世するから」と言って負担させる時代はとっくに終わっているのだ。

第4章　年功序列の光と影

年功序列は人に優しい？

コンサルタントの仕事をしていると、あちこちでいろいろな職業の人と出会う。

組織における序列で言えば、経営者からごくふつうの営業マン、エンジニアまで幅広く、業種も製造業からサービス業まで千差万別だ。ちょっと変わったところでは、公務員、新聞記者といった公共性の高い職種の人もいる。

彼らの人事制度に対する意見はさまざまだが、その多くが決まって言うセリフがある。

「年功序列は人に優しい制度ですよね」

たとえ成果主義に積極的であっても、この点は変わらない。そんな人は、本来は年功序列のほうがいいが、そんなことも言っていられない時代だからしょうがない、という意見だ。

たしかに、年功序列は優れた制度ではあった。

それは従業員の勤続年数を引き上げ、技術の長期間の蓄積を可能とし、結果として日本のモノ作りは世界一にまでのぼり詰めた。

いまでこそ、やれ成果主義だの目標管理だのアメリカ型の人材管理手法が持ち上げられているものの、一九八〇年代に不況のどん底にあって率先して日本型経営を学ぼうとしたのは、他でもないアメリカ企業だ。

では、年功序列さえ維持すれば、誰もが幸せになれるのだろうか。もしそうだとすれば、われわれはいかなる犠牲を払っても、年功序列の維持に全力を挙げるべきなのだろうか。

かつての若者たちは、みな昔を懐かしむ。

「年功序列の頃は、みんな幸せだった」

だが、ちょっと待ってほしい。本当にそうだろうか。

私には、たった十数年前に、この国ですべての人間が幸せだった時代が存在するとは、とても思えないのだ。

本章では、その「平和で共存的であるはずの年功序列制度」が持つ影の部分に光を当ててみたい。どんな物事にも、必ず光と影があるものだ。そして光が強ければその分、影も深いに違いない。

〝新卒〟と〝既卒《きそつ》〟の間の越えられない壁

既卒という言葉がある。あまり一般的ではないので、聞いたことないよという人のほうが多いかもしれない。

新卒の対《つい》になる言葉で、要するに、「すでに卒業してしまっている人間」を意味する。

そんなことを言ったらすべての社会人が含まれてしまうが、これが企業内（特に人事部）で使われる場合、「正社員としての内定がないまま、学校を卒業してしまった若者」を指す。

彼らが、就職先を決めないまま大学を卒業してしまった理由はさまざまだ。単純に内定が取れなかった人間もいれば、あえてフリーターの道を選んだものもいる。なかには、決まっていた内定先が卒業までに倒産してしまったケースもある。

だが、いかなる事情があれ、彼らが翌年以降に就職活動を再スタートした場合、十把一絡《じっぱひとから》げに放り込まれるカテゴリーが〝既卒〟である。

では、既卒扱いになってしまうと、その後の就職活動においてどういった影響があるのか。はっきり言ってしまえば、ほとんどの企業で「既卒者は門前払いされる」ことになる。それは、本人の学歴がどんなに素晴らしくても変わらない。

「計五〇社くらいは送りましたね。履歴書と送料だけで三万円くらいは使ったかな」

近藤君は二八歳のフリーターだ。現在は都内で進学塾講師のバイトをしながら暮らしている。月収は一五万円ほど。家賃が六万円だから、けっして楽な暮らしではない。

実は、彼は東京大学法学部卒業という学歴を持っている。

卒業したのは二四歳のときだから、留年して年を食いすぎたわけでもない。成績も学内で上位二割には入っていた。すべてが順調だったと言えるだろう。ただ一点を除いては。

「二回留年して、司法試験には計四回挑戦しましたが、ダメでしたね。いつまでも実家に迷惑かけられないですし。で、就職しようと思ったんですが……」

卒業翌年の春、就職活動を始めてみて、すぐに彼はあることに気づいた。

「ネットや企業の就職説明会でエントリーしても、その後なかなか呼び出されないんです。でも、ネットで調べてみると、同じ日にエントリーした人がすでに内定を手にしている。一〇社以上回ってみてからですね、ようやく変だな、と思ったのは」

彼は、自分が既卒という時点で、そもそも選考対象から漏《も》れているらしいということに気づいた。

「それでもエントリーできるだけマシでしょう。ひどいとこだと、エントリーフォームの学歴欄のプルダウンメニューに『四月卒業予定者』しかない」

実際、彼のようなケースはありふれた話だ。

少なくとも大企業ならどこでも、新卒と既卒は完全に別枠で処理する。後者が入社する確率はほとんどゼロと言っていいはずだ。

私自身、人事部に配属されて最初にやった仕事は、新卒応募者のなかに紛れ込んでいる既卒者の履歴書をチェックして引っ張り出すことだった。取り除けた履歴書は、オフィスの隅の箱に入れられたまま、二度と人目に触れることはなかった。

それにしても、たった一年である。

その一年で多くの企業から彼が締め出される理由とはなんだろう。実はその点にこそ、年功序列制度が持つ負の部分が凝縮している。

年齢で決まる人の値段

企業が既卒者を毛嫌いする理由を考える前にもう一度、年功序列制度における賃金システムを整理しておきたい。

すでに述べたとおり、日本企業の給与システムは基本的に年齢によって決まる。成果主義を入れていれば多少は上下に幅がぶれるが、それでもキャリアパスが一本しかない以上、基本は年齢に比例すると考えて問題ない（同じ入社年次でも、ふつうは、大きく差が出るのは三五歳以降だ）。

では、具体的にどうやって決まるのか。

会社によるが、一般的に経営側と組合との交渉により、「三五歳平均で月三五万〜四〇万円」という具合に、おおまかなレンジが決まる。

当然、毎年の初任給や昇給額は業績や景気によって変わるから、従業員の年代ごとにあまり格差が出すぎないよう、微妙な調整も必要になってくる。たいていの企業なら、人事部の棚には社内の各年齢のモデル賃金表があり、しっかりした人事部であれば、今後一〇年くらいはそれらの推移も予測済みだ。

わかりやすく言うと、日本企業のなかでは、業種、そして企業規模ごとに、「何歳で月何万円」という緩やかな相場が確立しているわけだ。企業ごとの業績格差は一時金で反映されることになる。

こういった観点から、近藤君のケースをもう一度考えてみたい。

彼は二四歳で大学を卒業し、翌二五歳で企業に応募した。もしここで彼が無事入社したとすると、年功序列のレールの上では、彼は一新人として他の新人たちと同じスタートラインに立つことになる。

だが、この給与システムでは、彼の給料は入社四年目の若手と同じ水準となってしまい、そこに矛盾が生じることになる。

「別に他の新人と同じ初任給から始めればいいじゃないか」という意見もあるだろう。だがそうすると、今度はひとりだけ社内の賃金モデルから外れたアウトサイダーが誕生することになる。

余談だが、日本企業が修士以上の学歴保持者の採用に及び腰なのは、これとまったく同じ理由だ。技術系で専門性のマッチする業種に応募するなら話は別だが、文系で大学院になど進学しようものなら、とたんに就職のハードルはぐんと跳ね上がることになる。

彼が面接で「自分がいかに二歳分、他の新人より即戦力になるか」を面接官に熱弁し、納得させることができなければ、彼もまた年功序列の列車からは締め出される可能性が高い（文系博士号など持っていようものならもう絶望的だ）。

もちろん、既卒だろうが博士だろうが、たかが数年分の誤差くらい、定年までのスパンで見れば大した問題ではないだろう。

だが、たとえ成果主義を導入していても、前述のように、企業内には依然として年功序列が脈々と息づいている。そのシステムを維持するためには、どこかで線引きが必要だ。そしてそのラインは、多くの企業において「新卒と既卒」の間に引かれている。

近藤君は、知人の紹介で、一〇月からある企業の事務部門に勤務することが決まっている。外資系医薬品メーカーの日本法人だ。社内には年功序列のレールも、ましてや年齢ごとの賃金モデルなども存在しない。彼らにとって、能力と意欲のある若者であれば、それだけで採用する理由としては十分なのだ。

「契約社員ですけどね。でもいまは、社員として働ける場を与えてくれただけでも嬉しい」

レールに乗ることを拒否された人間は、レールのない世界に活躍の場を求めたのだ。

就職氷河期がもたらしたもの

そうは言っても、近藤君のように資格試験で失敗した人間なら、ある意味、自己責任で済む話かもしれない。とうに二〇歳を過ぎているのだから、自分で自分に保険をかけ、試験と並行して企業の内定を一つくらいは取っておくべきだったろう。

それに、贅沢を言わなければいくらでも引っかかる枝はある。実際、司法試験や公務員試験落ち組向けに、秋口に追加募集をかける企業は少なくない（もっとも、ごく一部の上位校限定だが）。

問題なのは、自分の意志とは無関係に椅子取りゲームにあぶれてしまった人間だ。

バブル後の長い不況のなかでも、特に新卒採用の落ち込んだ数年間（一九九七～二〇〇二年あたり）が、いわゆる就職氷河期と呼ばれるものだ。よりどりみどりの買い手市場のなか、企業の厳選採用化が進んだのもこの時期だ。

しかも、タイミングの悪いことに、ちょうど団塊ジュニアと呼ばれる頭数の多い世代が続々と卒業し始めたのも、まさにこの氷河期だった。

これは、新卒求人倍率（卒業予定者数に対する企業の求人数）の急激な低下となってあらわれた。それまでずっと二・〇台を推移していたものが、九〇年代に入ると低下し始め、金融危機が囁《ささや》かれた二〇〇〇年には、ついに一・〇を割ったのだ（93ページの図参照）。

ということは、卒業してもどこにも定職のない若者が、自分の意志とは関係なく一定数は発生したことになる。もう「贅沢言わずに働け」どころの話ではない。

もっと言えば、それらの求人のなかには、ハナから新人を育てる気などない性質の悪い企業も相当数含まれている。

たとえば、派遣社員なら派遣会社が間に入るから、サービス残業などは原則させられないが、自社の正社員ならなんでもやりたい放題だ。正社員だが、時給換算で二〇〇円程度という企業は、むしろ増加している気がする。

当然、その手の企業に入った新人は、一年で過半数が辞めることになる（ちなみに自分が直接知っている某ＩＴ系上場企業は、一年で九割超の新人が退職する）。

既卒ではなくても、正社員としての職歴が極端に短い場合、第二新卒ではなく既卒扱いとなってしまうケースは多いのだ。

では、結果的に既卒となってしまった若者はどこへ向かうのか。短期のバイトをくり返すフリーターや、派遣社員が主な受け皿だ。

特に、派遣会社はこういった若者の受け入れに積極的で、〝新卒派遣〟という新しいジャンルまで生み出し、新人を派遣扱いで企業現場に送り込んでいる。その数はおよそ年二万人。就職する新卒大学生が年四〇万人とすれば、実に五パーセント近い人間が派遣社員として就職している計算になる。

新卒即正社員しか認めない制度

さて、ここで非常に重要なことを確認しておきたい。派遣社員にしろフリーターにしろ、多くの企業はそれを職歴とは評価しない、という点だ。

理由は近藤君のケースと同様だ。

年功序列制度が柱である以上、人材の価値は年齢で自動的に決まってしまう。そうなると、下流工程の作業しか経験していない可能性の高い非正規雇用者は、多くの企業にとって「コ

転職者と前職の関係

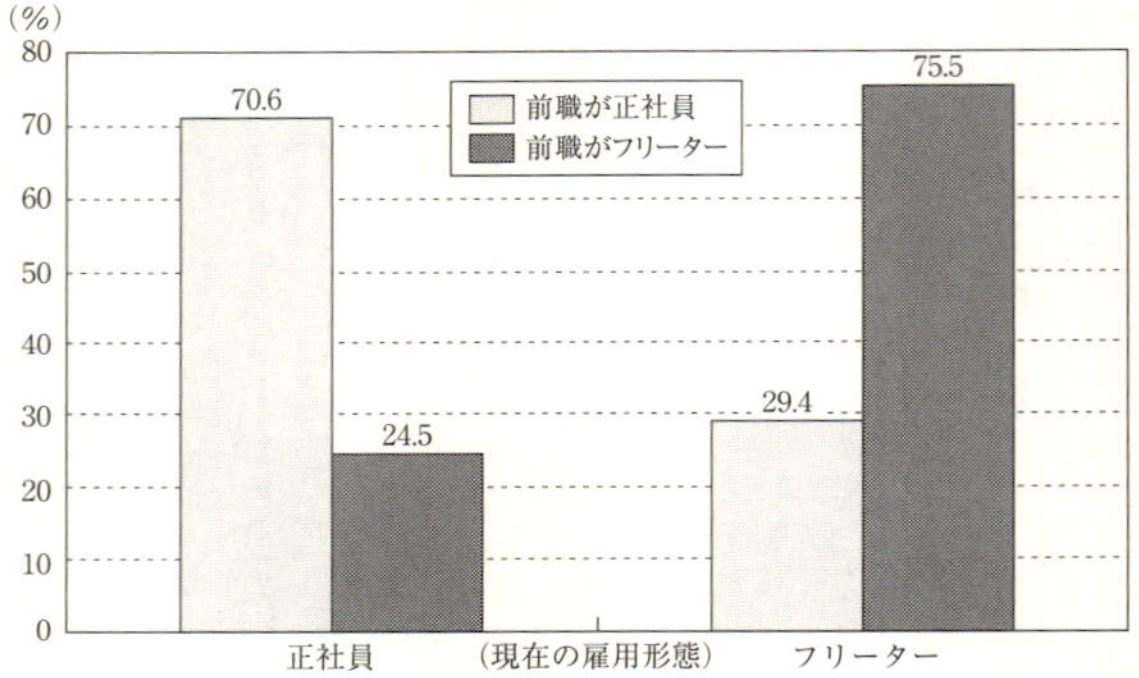

※総務省:労働力調査特別調査(2001年)より(対象は34歳未満で1年以内に転職した労働者)

スト的に釣り合わない」と見なされてしまうのだ。

企業が求めているのは、あくまでも「正社員としての職歴」であり、彼らが中途で応募者を選考する場合、重視するのは「他社で正社員として、何を何年こなしてきたか」という一点に絞られてしまうのだ（将来性重視の第二新卒市場であれば、若干大目に見てくれる企業も多い。だが、いずれにせよ二〇代前半までだ）。

つまり、「新卒→正社員」というレールに一度でも乗り遅れてしまった人間は、二度と正社員のレールには乗れなくなってしまう可能性が高いと言える。

一方で、二〇〇六年に入り、来年からの団塊世代退職をにらんで採用を強化する企業が増えている。

特に、ここ数年採用を絞ってきた銀行や大手電機メーカーのなかには、採用数を前年度の数倍に増やす企業も多い。突然、空前の売り手市場が出現したわけだ。学生の数自体は増えるわけではないのだから当然だろう。

実際、人事担当者に話を聞くと、皆一様に採用予定数の確保が困難だと愚痴《ぐち》を漏らす。それでいて、彼らは皆、採用対象を二〇〇七年三月に卒業する人間だけに限定している。少なくとも年功序列を堅持している日本企業であれば、一度列車に乗り遅れた人間をけっして乗せることはないだろう。

派遣・フリーターが急増しているという話はすでに述べた。その数、一〇年で二倍以上だ。彼らの年齢を見ると、二〇代後半から三〇代前半にかけての層が非常に厚いことに気づく。彼らはたまたま求人数の少ない時期に卒業し、なんらかの理由で正社員になれないまま、派遣やフリーターとして年を経ていることがよくわかる。

企業が年功序列に固執する限り、彼らが正社員になれる可能性は今後も低いだろう。「人に優しい」はずの列車は、こうして乗り遅れた者を切り捨てながら、走り続けていく。

余談だが、ニートの存在がいま、社会的にクローズアップされている。

きっかけはともあれ、就業も就学もしていない彼らもまた、企業にとっては「職歴のない既卒」でしかない。

彼らの自立を支援することも大切だが、一度レールから外れてしまった人間に機会を与えるシステムを作ることも重要だろう。

国でも経団連でもいい。企業に対し、採用者のなかに一定数の既卒を入れる目標を与えることで、多くの人間に機会を与えることができるはずだ。

就職氷河期に卒業し、正社員職歴のないまま年を経ている若者を救うには、彼らがまだ若く、企業が採用数を増やしているいましかない。

それがなによりの少子化対策でもあると、個人的には考えている。

放り捨てられる中高年

いかに若者が虐《しいた》げられてきたか、これまでさんざん書いてきた。少なくとも日本企業は、若者にとって踏んだり蹴ったりな場所に思えてしまう。

だが、年功序列は、なにも若者にだけ冷たいわけではない。列車に乗って安定したレールを走っているはずの人間に対しても、それはときに冷酷非情な顔を見せる。

一九九七〜二〇〇二年あたりにかけ、長く続いた日本の不況はピークに達した。それまでありえなかった銀行の倒産や、財閥の枠を超えた合併再編が全国で行われたのも、ちょうどこの時期だ。

私の周囲には、山一證券や長銀に就職し、その数年後に路頭に迷った人間が何人もいる。本人たちが鈍《にぶ》かったというより、そんなことはあるはずがないというのが、当時の常識だったのだ。まさに、年功序列というレールが、企業の外から見ても明らかに崩れ始めた時期だと言える。

企業の雇用方針においても、従来ではありえないことが起きていた。それはリストラだ。従来、終身雇用がベースの日本企業においては、賃下げや雇用関係の解消は長くタブー視されてきた（というより、そんなことをする必要もなかった）。最悪、配置転換などで別の事業所に転勤したり、企業内で職種を変わる程度の話で済んでいたのだ。

だが、この時期は、いよいよせっぱつまった企業側が、雇用関係自体にメスを入れ始めた。といっても、「おまえはクビだ」というのは、日本企業においては基本的に認められない。この場合、もっとも好んで用いられた手法は〝早期退職者の募集〟である。

まず細かく条件を作り、広く社内に公開する。たとえば、
・勤続一〇年以上
・一般社員（非管理職）

・事務職、営業職限定

といった具合で、なるべく不採算の事業に限るように考えられている場合が多い。もちろん、応募した場合は、「退職金に月給半年分上乗せ」などといったプラスアルファのおまけがつく。

だが、実際には、このまま額面どおりに募集をかける企業は多くない。というのも、企業にとって本当に必要なエース級の戦力が流出する恐れがあるためだ（というより、リストラするような企業からは、優秀層が「これ幸い」とばかりに早期退職に応募してしまう可能性が非常に高い）。

実は企業側では、辞めてほしいターゲットはとっくに絞られている。それはずばり、四五歳以上の中高年従業員だ。

年功序列制度においては、彼ら中高年は高給取りである。五〇歳なら、二五歳の二、三倍の賃金は優に受け取っているはずだ。年齢によって賃金が決まるシステムだから、これは当然の話だろう。

となると、人件費をカットしたい企業としては、多少の退職金を上積みしてでも、なんとか彼らに辞めてもらいたいというのが本音なのだ。

実際、早期退職募集をかける前の時点で、人事部内ですでに「辞めさせるべき人間」と「残すべき人間」のリストアップをしている企業は多い。あとは〝意思確認〟という名目で全対象者と面談し、硬軟使い分けつつ誘導していくことになる。

年功序列は「一度上にあがったら、あがったもん勝ち」の面が強く、ふつうは下の序列にさがることはない。そういう意味では、たしかに人に優しいと言えるかもしれない。

だがそれゆえに、中高年はまるで出荷前の果物のように選別され、一度いらないと判断されれば、容赦《ようしゃ》なく放り捨てられることになる。

数年前、まさに不況の真っ只中のことだ。ある大企業のトップの発言が話題を集めた。

「もう四五歳以上の社員はいらない」

これほど、年功序列という制度の本質を突いた言葉はないだろう。

年功序列制度においては、人の価値は年齢で決まる。つまり、費用対効果を考え、償却《しょうきゃく》すべき年齢があるということだ。

中途採用の上限は三五歳

会社に肩を叩かれ、あるいは自己都合で、ときに彼ら中高年は年功序列という列車から降りることになる。では、列車を降りた中高年たちは、その後どうなるのだろうか。

もちろん、生活のために働かなくてはならない。養う家族もいるだろう。こうしてその多くは、転職市場において、再び別の列車を目指すことになる。

日本における転職市場は、一九九〇年代後半から一〇倍近くに成長した。いまや一大産業と言っていいだろう。

その牽引役である人材紹介会社は、転職希望者と募集企業のマッチングをすることで、転職成功者の年収の何割かを（企業側から）手数料として得るシステムを採っている。

年功序列というレールが崩壊するなか、うまく社会のニーズをくみ取ることで発展してきた新興産業と言えるだろう。

さて、これだけ拡大してきた転職市場ではあるが、実は誰にでも門戸を開いているというわけではない。

「経理や生産管理などの事務部門は三五歳、営業職は三〇歳が上限ですね。開発職は多少上《うわ》ぶれしますが、それでも四〇歳以上はターゲットではありません」

こう語るのは、大手化学メーカーの採用責任者である有田氏だ。

「人材紹介会社に人材スペックを出し、該当者を紹介してもらう方法で、年に二〇人程度中途採用しています。年齢はいちばん基本的な要件ですね。基本的に、年齢範囲がマッチした人材のなかから紹介してもらうようにしています」

なにもこれは同社だけの話ではない。二〇〇一年、改正雇用対策法が施行され、採用に際して企業は年齢制限を設けることを原則禁じられた。

だが依然として、それは根強く存在している。人材紹介会社は顧客企業の注文に応じて、ニーズどおりの年齢層の候補者リストを提供する。多くの日本企業において、中途採用での実質的な上限は三五歳だ。

「われわれは即戦力のプレイヤーが欲しい。わが社では現在、四〇歳手前で課長職に登用しています。だからプレイヤーの上限は三五歳。それ以上はマネージャーとしての採用になりますが、マネージャーはわざわざ外から採るほど不足していないんですよ」

ここで素朴な疑問がわく。体力勝負のプロスポーツ選手ならいざ知らず、サラリーマンなら、四〇代、五〇代のプレイヤーがいてもいいではないか。

だが、思い出してほしい。年功序列というレールがある以上、人材の値段は年齢で決まってしまう。たとえ（プレイヤーとして）能力も意欲も申し分ない五〇代がいたとしても、彼の賃金は、企業を萎《な》えさせるほど高水準なのだ。

「給与も仕事内容も新人並みでかまいません」

日本企業にはこういうアピールがまったく通用しない。

もちろん、四〇代以上でも日本企業に転職できる人間はいる。ただそれは、役員や事業部長など、上級マネージャーとして際立った経営的能力を持った場合のみであり、そもそもそういう人材を企業が欲しいと思えば、ヘッドハンティングで一本釣りを狙うだろう。

同社は団塊世代の退職をにらみ、来年から中途採用者数を倍増させる計画だという。だが、その対象は主に二〇代の若者だ。

「同業他社の第二新卒がターゲットです。もちろん、やる気があれば多少業種が違ってもかまいません」

三五歳を超えて、一度でも年功序列というレールを降りてしまうと、多くの人はもう二度と列車に乗ることは許されない。それでいて、リストラの際にターゲットにされるのは彼ら中高年だ。

これは、年功序列制度が持つ陰湿な一面と言っていいだろう。

二〇〇〇年前後の不況のピークに、若干の上積み退職金を手に企業を退職した中高年は多い。彼らの多くが、以前と同じ程度の列車に乗ることは二度とないはずだ。

最後に、ある質問を有田氏にぶつけてみた。もし中途採用目標数が達成できそうにない場合、中高年や派遣・フリーターなどの非正規労働者から正社員採用する予定があるのかどうか。

「いや……いまのところ、それは考えていません。もし予定数が確保できなければ、派遣社員で当座はしのぎますよ。そのうちまた買い手市場になるでしょうから、それまでの辛抱です」

「彼らを食わせるために、僕の人生があるわけじゃない」

ところで、特に明記してはいないが、いままでに〝会社〟と書いていた場合、特に断っていなければ「年功序列型の日本企業」のことだ。

だが、日本企業といっても、実際にはいろいろなタイプがある。なかには、年功序列制度を堅持している企業であっても、実際にはレールなんて存在しない企業も多い。

本項では、そんな企業の一例を紹介したい。

池田氏は、某ＩＳＰ（インターネットサービスプロバイダー）のＡ社に勤める三三歳のエンジニアだ。大学卒業以来、いまの会社一筋で頑張ってきた。

会社からの評価はよく、仕事内容にも満足している。昨年主任に昇格し、やりがいのある仕事を任されるようにもなった。

「根が技術屋なので、キャリアだとか転職だとか、あまり意識したことはありませんでしたね。そういう意味では鈍感なサラリーマンでした」

だが、そんな池田氏に変化が訪れる。きっかけは数年前、所属会社が大手企業に完全子会社化されたことだった。

「もともと資本関係はあったんです。でも経営は完全に一線を引き、自由に独立してやっていた。社風なんかも別でしたね。それが一八〇度変わってしまった」

変わったのは社風だけではない。もっとも重大な変化は、会社のポストに親会社から大量の人間が続々と送り込まれたことだった。

これの意味することは重大だ。前述のように、年功序列制度ではキャリアパスは一本しかない。たとえ成果主義を標榜《ひょうぼう》していても、現状はほとんどの企業で同じ状況だろう。

ということは、序列が上がらない以上、給料は頭打ちになってしまう。

「子会社化以降、プロパー（生え抜き）で管理職に上がった人間は僕の知る限りいませんね。むしろポストは増えていきます。でもそこに滑り込むのは、本体から天下ってきた中高年ばかり」

事実上、池田氏のキャリアパスは絶たれてしまったわけだ。親会社は、子会社のポストに自社の中高年を送り込むことで、自社の年功序列制度を維持していると言える。

池田氏は現在転職活動中だ。これまでは、新卒で就職し、定年まで勤めることが〃ふつう〃だと考えていたという同氏だが、ある日突然、レールが途切れたことに気づき、目が覚めたという。

「プロジェクトの予算は厳しく管理されている。でも、人件費の七割は本体からきたお飾りさんたちのお給料。しわ寄せはいろいろな経費削減という形で、われわれ第一線の人間にくる。そう考えると、なんだか馬鹿らしくなって……彼らを食わせるために、僕の人生があるわけじゃないですから」

さて、人材紹介会社に登録し、いろいろな求人情報（サイトなどでオープンにされているものは全体のごく一部だ）を紹介されるうち、池田氏は重要な事実に気づいたという。

「少なくともこの業界では、転職上限は三五歳。それまでに骨を埋《うず》められる場所を探さないと。そう考えるとゆっくりしてはいられない」

冷静に職場を見渡してみれば、自分自身ではなく、誰かのために働かされている。そんなケースは珍しくはないはずだ。

もちろん、「正社員として職があるだけで幸せだ」という考えがあるのも事実だ。そもそも仕事を通じて自己実現する必要なんてないし、誰もがお金と地位を目的に生きているわけでもない。

そういう人にとっては、成長より現状維持こそ目指すべきものであり、暮らしの糧《かて》を得て家族を養うことができれば、それだけで立派な仕事だろう。

仕事に対してどういうスタンスを取るか、それを決めるのは本人の自由だ。

だが、少なくとも企業の都合としては、なるべくなら従業員には常にハングリーで向上心を持ってほしいと願っている。

もし従業員全員がただ現状維持を目標とするだけなら、その組織の将来は少々まずいことになる。

池田氏のように成長を願う人間が去り、現状維持で満足する人間だけが残った組織はどうなるか。おそらく、現状維持すら困難だというのが実情だろう。

国家公務員と天下り

天下りの話が出てきたので、ここで国家公務員と天下りの問題についても触れておきたい。多少なりとも人事制度に詳しい人間をつかまえて、「日本でもっとも強固な年功序列組織はどこか」と聞いたとしよう。たいがいの人は、「それは国家公務員だ」と返してくるはずである。

実際のところはともかく、それくらい彼らはガチガチの年功序列制度を堅持している。特に上級職（いわゆる霞が関のキャリアだ）の年功序列っぷりは異常で、入省時の試験成績（おそらく学歴も影響する）に基づいて配属され、数年ごとになかば決められた異動コースを経て出世していく。

たとえば、「平成二年入省組成績一番は○局△課、その五年後×局に異動」という具合に、序列に基づいてあとから人を作っていく感覚だ。

だが、一つ疑問が残る。彼ら公務員は、なぜこれほど強固な年功序列を維持できているのだろう。というのも、第１章で述べたとおり、年功序列制度というのは、組織の成長が必要条件だからだ。

一度序列をあがればさがることはないのだから、どうしても組織内のポストは慢性的に不足する。組織が拡大してポスト数が増えなければ、下の世代は飼い殺しになってしまい、必ず人材流出が起きてしまう（現状の民間における成果主義はこれに近い）。

彼ら官僚組織はここ数十年、特に拡大したわけでもないし、人数が増えたという事実もない。いわばゼロ成長のなかで、いかにポストを確保し、年功序列制度を維持してきたのか。

その答えは〝天下り〟だ。各省庁は、関連する公益法人、独立行政法人などに、二〇〇五年時点で二万人以上の官僚を送り込んでいる（出向扱い含む）。

その後、「退職後二年間は関連する民間企業に再就職してはならない」という縛《しば》りが解けるのを待って、あらためて民間企業に転がり込むわけだ。

彼ら官僚が天下りを開始するタイミングは四〇代なかばから。ちょうど管理職としてのポスト争いが激化する年齢とピタリと一致する。事務次官や局長の椅子に座れなかった人間を、民間企業のポストにつける形で〝消化〟しているわけだ。

天下りとはいっても、当然ヒラではない。役員だけで八〇〇〇人、常勤であれば、非公開の年間報酬は一五〇〇万円を超えるはずだ。

ちなみに、彼らが天下った団体への国の補助金は、二〇〇五年度だけで四兆円を軽く超えている（国立大学への運営交付金除く）。いわば、日本という国は、税収の一割を消費して、官僚の年功序列制度を維持してやっているようなものだ。

そういう意味では、前項の子会社・親会社の関係と構図的には似ているかもしれない。だが、彼らが天下る先は、資本関係のない民間法人だ。

彼らが自由に公益法人を設立できるのは、本来は国民の利益を追求するためであり、自分たちのポストを確保するためではないはずである。

税金から捻出《ねんしゅつ》される巨額の予算も、あくまで公益のために用いられるべきであり、自分たち官僚を高い賃金で雇わせるための餌《えさ》ではないのだ。

もう二〇年以上昔から「官僚の天下り」問題は常に議論の的であり、右も左も関係なしに規制を求める声は強い。

にもかかわらず、ほとんどまったく状況は変わっていない。彼ら官僚自身が、けっして利権を手放そうとはしないからだ。

彼らをとんでもない大悪党と思う人も多いかもしれないが、彼らにしてみれば、「自分の乗っている年功序列というレールを守っているだけ」でしかない。罪の意識はたいして持っていないだろう。

東大生の霞が関離れ

だが、彼らの強固だったレールにも、ほころびが見え始めている。

一九八〇年代、国家一種試験を合格し、中央省庁に内定した人間のうち、実に九割以上が東大生だった。あまりの東大びいきに、政府主導で何度か改革が試みられたが、たいした効果は出なかった。

要するに、それくらい東大好きな官庁であるが、近年異変が起きている。当の東大生が霞が関にそっぽを向くようになったのだ。二〇〇五年の内定者のうち、東大生の占める割合は三割。誰に言われたわけでもないのに、いつの間にやらかつての三分の一以下にまで落ち込んでいる。

もちろん、東大生なんて減ってもかまわない。私大のトップどころが国家公務員に殺到した結果なら、むしろ歓迎すべき状況だ。

だが、早稲田、慶應あたりの学生の間で「国家公務員が大人気」なんて話は一度も聞いたことがないし、実際、二〇〇六年の国家一種試験の申込者数は、過去最低を更新した。

要するに、若者にまったく人気がなくなったのだ。

理由は簡単。先述のように、官僚自身が強い年功序列制度を維持し続けているためだ。

若者の立場に立って考えるとわかりやすい。厳しい試験をかいくぐって入省した彼が直面するのは、とてもエリートと呼ぶにはほど遠い現実だ。

・年功序列だから、最低限の初任給から毎年横並びで昇給。四〇歳くらいまでは民間企業の同期より低賃金
・年功序列だから抜擢もなく、仕事はつまらない作業中心
・しかも、世間ではなにかと叩かれて肩身が狭い

それでも、将来報われるというのであれば、長い下積みに耐える意味はあるかもしれない。だが現在、政府は〝聖域なき構造改革〟を旗印《はたじるし》に掲げ、国民もその方向にはおおむね賛成している様子だ。たとえ政権が交代しようと、この流れは変わらないだろう。となれば、官僚が死守してきた〝天下り〟という利権が、彼らの手から奪い取られる日もそう遠くはないはずだ。

そしてそれは同時に、官僚組織のなかの年功序列というレールが終わることも意味する。つまり、若者がいまさら霞が関に入っても、下働きの働き損で終わる可能性がかなり高い

のだ。少なくとも就職先を選ぶ余裕のある人間からは、霞が関が敬遠されるのも当然だろう。自らが乗ったレールを変えることは容易ではない。でもそれをしない限り、優秀な若者が戻ることはありえない。

民間なら、そんなダメな企業はとっとと潰れてしまってかまわないのだが、そこはなんといっても国の屋台骨《やたいぼね》だ。少なくとも完全年功序列を崩し、能力に基づいた新人事制度を導入することは必須だろう。

年功序列は「ねずみ講」

こうして見ていくと、年功序列というシステムについて、いろいろなことが見えてくる。まず、それは一九九〇年代前半のあたりで実質的に崩壊していたという点だ。若い頃の成果を受け取ることができなかったエンジニアや、抜擢や自己啓発とは無縁なまま、激しい選別の嵐にさらされるバブル世代を見れば、それがよくわかる。

だが同時に、依然としてレールが存在し続けているのも事実だ。それは世代間の歪んだ格差という形で若年層にのしかかり、彼らのモチベーションを奪っている。増え続ける新卒離職率の最大の原因は、まさにここにある。

また、その崩壊のプロセスを見れば、年功序列制度が持つ本性がうっすら見えてくる。それは、けっして万人に優しい制度などではない。レールの上に乗ることのできた人間にのみ優しく、乗れなかった人間を徹底的に踏み台にして走り続けるシステムなのだ。

「雇用を守れ、賃下げ反対」

すでに既得権を得た人間はこう言ってシュプレヒコールを上げるが、彼と机を並べて働く派遣社員には、ボーナスや厚生年金すらない。

たとえレールに乗ったとしても安心はできない。定員オーバーになれば、給料の高い中高年から真っ先に投げ捨てられることになる。そして、一度列車を降りてしまえば、二度と同程度の列車には乗ることを許されない。

「そんなことはない、わが社は競争のない平和な世界ですよ」

そういう反論もあるだろう。でも、その平和の影には、彼らのレールを支えるために踏み台にされ、苦悶《くもん》する子会社や取引先があるかもしれない。

実際、たいていどこの大企業も多くのグループ企業を抱え、本体から大勢の幹部を送り込んでいる。各事業部門がポスト確保のために子会社を作り、自部門の縄張り化する様子は、さながら中央省庁と公益法人の縮小版だ。少なくともそういった大企業に勤める人間には、官僚の天下りを非難する資格はない。

ならば、年功序列制度の本質とはなんだろう。

ちょっと言葉は悪いが、それはひと言でいうなら〝ねずみ講〟だ。

八〇年代いっぱいは、経済全体が成長を続けていたからパイの取り分でもめなかっただけの話で、いったん成長が陰《かげ》ると、一気に矛盾が噴き出したのだ。

いま、組織内でそれなりの序列に上った中高年たちは、なんとかして自分たちの取り分を守ろうと躍起になっている。

「若いうちは我慢して働け」と言う上司は、いわば若者をそそのかして人生を出資させているようなものだ。

だが、若者の貢献の多くは、年金同様、自分たちの将来受け取る待遇のために積み立てられるのではなく、先輩方を養うために使われるのだ。

勝者と敗者を生み出すという意味で成果主義と変わらないが、この場合、能力や実績ではなく年齢で差別化する分、年功序列のほうが非民主的だと言えるかもしれない。

もちろん、だから年功序列も成果主義もダメだ、と言うつもりは毛頭ない。

誰もが公平に等しく処遇される社会は、かつて理論上は存在したが、ついに地上に実現することはなかった。いまも表向きはそれを国是《こくぜ》としているはずの中国は、日本など及びもつかないほどの超格差社会だ。彼らは、圧倒的多数の農村部を踏み台にして、少数の都市部が栄える構図を維持し続けている。

幸福というものが限られたパイであるなら、それをめぐって勝ち負けが生じるのは、むしろ自然なことだろう。

一つ言えるのは、踏み台になる人間に対し、嘘をつくのはよくないということだ。彼に公平な競争を勝ち抜く機会を与え、そのうえで敗れたのなら、取り分が少なくなってもやむをえない。

だが、「大丈夫、いまはきついけど、将来は楽になるから」と騙《だま》してこき使い、人生の折り返し地点を過ぎたあたりで「ああ、自分は騙されたのか」と思い知らせるようなシステムは、一度ぶち壊してしまったほうがマシだろう。

「自分たちは若いうちに頑張ったのだから、その分の報酬をいま受ける権利がある」と、年長者は言うかもしれない。そして、そのためには誰かに貧乏くじを引かせてもかまわないという論理だ。

なら逆もまたしかり。若者もまた、そんなものを背負わされる義務などないのだ。

格差否定論者の矛盾

格差社会という言葉が、昨年あたりから話題にのぼるようになった。

旧来の日本社会をよしとする論者のなかには、これを激しく攻撃し、従来どおりの横並び社会への回帰を促《うなが》すものも多い。

だが、ひと言に格差といってもいろいろある。

たとえば、若くして巨万の富を得た起業家などは、ITという新しいフィールドにおいて、旧来の大企業に代わって登場したニューパワーとも言うべき存在であり、格差というよりは、産業構造の転換の副産物だ。それに、彼らなどより既存企業の創業者一族のほうが、はるかに根深く社会の上流に根を張っている。もし、〝金持ち〟というだけで批判されるなら、こっちのほうがよほど批判されてしかるべきだろう（目立ちたがりの多いニューリッチばかりに、庶民としてはついつい存在感を感じてしまいがちだが）。

そういう意味で、議論すべきなのは、企業内における成果主義の結果としての格差、そして派遣社員やフリーターなど、非正規労働者と正社員との格差だろう。

と、ここまではいい。注意すべきなのは、これらの原因をどこに求めるのか、という点だ。

先の〝格差否定論者〟には、えてしてこれらの格差の原因を「企業が年功序列を捨て、成果主義に走った」点に求める向きが強いのだ。

いわく、企業が人件費をカットするために成果主義を導入し、さらなる人件費カットを目論《もくろ》んで政府を動かし、非正規雇用に関する規制を緩和させた、という論法だ。

少し考えればわかることだが、この理屈は矛盾している。企業が成果主義を入れざるをえなかったのは、年功序列システムが崩壊したためであり、そのフォローのためだ。原因というよりは結果である。

給料にせよ序列にせよ「上がったもん勝ち」の年功序列企業において、総人件費を下げるには若手から中堅の昇給、昇格を抑えるしかない。そのためのツールが成果主義であり、目標管理だったというだけの話だ。

もっと言えば、労働者派遣法が改正され、若者が派遣社員として使い捨てされるようになったのも、すでに述べたとおり、「既存の年功序列組織を維持するため」だ。

少なくとも企業内の格差の犯人を求めるなら、それは〝年功序列制度〟そのものだろう。

年功序列こそが格差を生み出している

だが、格差を認めない人々にとって、事態は必ずしもそうは映らないらしい。彼らはあくまで、「同じ年齢間で格差の少ない年功序列制度こそ、公平な制度である」と考える。

もし彼らの言うように、組織の成長が止まってしまったこの期《ご》に及んで、年功序列制度を維持すると、組織内で何が起こるだろう。

若者にとっては、それはまったくもって希望の持ちようのない世界だ。

彼はどんなに成果をあげたとしても、例外なく組織内の序列を一段一段のぼっていかねばならない。しかも上はつかえているから、いずれ中途半端な位置で昇格はストップする。誰かが言ったように、「定期昇給もない、かといって成果主義による抜擢もないでは、若者はやってられない」のだ。

ところが、あくまで年功序列に固執することで多大な恩恵を受けられる人々もいる。すでにレールの先にまで進んでしまっている人、はっきり言ってしまえば、中高年の正社員だ。

一般的な年功序列型企業では、従業員の給料は五〇代前半でピークを迎える。それなりの歴史ある企業なら、二〇代の三倍貰っていても珍しくはないだろう。つまり、そのあたりの年齢の人間にとっては、下手をすれば賃下げになりかねない成果主義なんぞ入れるよりも、ずっといまのままの人事・賃金制度でいてくれたほうが楽なのだ。

格差否定論者の言い分でもっとも違和感をおぼえるのは、彼らが「同じ世代間の格差」には鋭敏に反応する割に、（団塊と団塊ジュニアなど）世代が異なる者同士なら、どんなに格差があろうとほとんど無視するという点だろう。

まるで、「年長者なら何倍貰っても当然」と言わんばかりだ。格差を否定する割には、まるで戦前の家父長ばりの保守っぷりと言っていい。

要するに、その政治的スタンスにかかわらず、それだけ彼らも昭和的価値観に毒されているのだ。

もし、心から格差をなくしたいと願うのなら、それは当然、年功序列の否定をともなわねばならない。新人から定年直前のベテランまで、全員の給料を一度ガラガラポンして、果たす役割の重みに応じて再設定し直すべきだろう（もちろん、その結果、やはり年功序列になる企業もありうる）。そうすることで、若者を派遣として使い捨てたり、中高年だけを放り捨てたりする必要はなくなるのだ。

もし、それでも年功序列の維持に固執する人間がいるのなら、彼が本当にしがみついているのは制度云々《うんぬん》の議論ではなく、単なる自分の既得権に違いない。

第5章　日本人はなぜ年功序列を好むのか？

これまで、本書にはさまざまな立場の若者や元若者たちが登場してきた。

彼らの話を聞いていると、ある疑問がわいてくる。それは、そもそもなぜ彼らは、年功序列のレールに乗ってしまったのかという疑問だ。乗れた人間も乗れなかった人間も、とりあえず最初はレールを目指したことは間違いない。

「大学を卒業して、いい会社に就職するのは当然だろう」という反論はあるだろう。

ただ、そこには、「〜をやりたい」という主体的な動機が欠落しているように感じられてならない。実際、自分の知る限り（本書には登場しないその他大勢の人たちも含め）、年功序列のレールで生きる人々の口からは、この〝主体的な動機〟とでも言うべきものが、まったくと言っていいほど聞こえてこない。

せいぜい、「もう少し頭を使う仕事がしたい」程度だ。

なにも自分だけ偉そうなふりをするつもりはない。なにを隠そう、筆者自身も二〇代の頃はまさにそうだった。いい大学を出て、大企業に勤める。そこにはなんの主体性も存在せず、あるとすれば、「それがステイタスだと言われているから」という程度の、いわば世間体レベルの話だ。

だが、第1章で述べたとおり、企業の求める人材像はここ数年で大きく変わりつつある。

少なくとも彼らは、「〜をやりたい」という主体性を持った若者以外を正社員として迎え入れる必要性は感じていない（実際の企業内風土はまだそれに追いついていないが）。

当時、入社数年目で採用業務に携わった自分は、そんな〝からっぽ〟の自分が、若者に対して主体性を求めることに強い違和感をおぼえていた。そのことを上司に打ち明けたときのことは、いまでも鮮明におぼえている。

「しょうがないよ、だって時代が変わったんだから」

レールの上で二〇年以上生きていると、目の前の出来事を、ただあるがまま受け入れる度量が備わってしまうらしい。

時代がどのように変わったのか。企業と社会の変化については、本書でこれまで述べてきたとおりだ。その変化に対し、個人の価値観が追いついていないというのが現状だろう。

本章では、個人の心と年功序列の関わりに踏み込んでいきたい。

人は生来の欲求として年功序列を望むわけではない。先述したように、それは特殊な条件下で成立する特殊な形態にすぎない。それがスタンダードとして存在したのは日本と韓国くらいで、しかもどちらも崩壊しかかっている。

では、なぜ日本人はこれほど強固な年功序列を維持し、政治から経済まで、それに基づくアクションを支持してきたのか。

それを考えていくとき、われわれの周囲にごくふつうに存在するさまざまなシステムが、実は一本の線でつながっていることに気づく。

それらをたどっていけば、いよいよ昭和的価値観の親玉にたどり着くはずだ。

高校生の半数が公務員志望!?

日本の高校生が将来なりたいと思う職業はなんだろう。サッカー選手か、ミュージシャンか。あるいは、もう少し現実的に起業家か。

実は、三割を超える高校生の支持を得て、栄《は》えある第一位に選ばれた花形職業は公務員だ。もし第二位の教師も公務員にカウントするなら、実に半数近い割合になる（一九九九年日本青年研究所調査）。

ちなみに、アメリカの高校生の公務員志望者割合は二パーセント。アンケートの取り方によって若干順位の変動はあるだろうが、少なくとも日本の若者たちの間での公務員人気は絶大だと言えるだろう。

実社会の経験がない分、彼らはイメージで将来の夢を語る。であれば、政治家や起業者など、ふつうはもうちょっと夢のありそうな職業が並びそうなものだ。

もちろん、経営者には夢が溢れ、公務員は無味乾燥な仕事だなどと言う気はさらさらない。泥をするようにして働く経営者を何人も知っているし、大志を抱いて働く公務員も大勢いる。

ただ、なんというか、発想がものすごくおっさんくさいのだ。若さからにじみ出る無謀さのようなものが微塵《みじん》も感じられず、とても未成年の発想とは思えない。まるで、団塊世代あたりのサラリーマンに対し、「もし人生やり直せるならなんの仕事に就きたいですか？」とでも聞いて回ったような結果だ。

彼ら若者が公務員に憧れてしまう理由とはなんだろう。

その鍵は学校教育システムにある。もう何十年も前から指摘されてきたとおり、日本の教育システムは完全な詰め込み型だ。

日本の教育システムでは、生徒は高校、大学という具合に、節目節目で受験というフィルターをかけられ、その成績によってランクづけされる（私立なら、さらに下の小中学校からだ）。

当然、よりよいランクに進むために、授業は対受験用の知識習得中心になる。もっと具体的に言えば、与えられる問題に対し、いかに効率的に解答を引っ張り出せるか、という一点だ。

これは、アメリカのようにトータルの授業成績で進学が決まったり、ドイツのように希望者は原則進学させたりするシステムとは、明らかに一線を画する。

自分自身も身におぼえがあるが、中学高校の授業は、いかに効率的に知識を頭に詰め込むか、そしてそれを引き出すかというだけの作業でしかない。受験に関係ない科目や授業範囲はどうでもよく、要領のいい者勝ちの世界だ。

そしてそこには、「どんな問題も必ず正答が一つだけ存在する」という大前提がある。マークシート方式のセンター試験や、私学の穴埋め問題などはこの典型だろう。

だが、これは少々特殊な世界だ。考えてみれば、実社会では明快な答えのある問題のほうが少ない。たとえば、自分が何に価値を見出し、どういう仕事をするか、一〇〇人に語らせれば一〇〇通りの答えが返ってくるだろう。

本当なら、あるかないかわからない答えを自分で考える、そしてそのための理論を構築する作業が重要なはずだ。日本の義務教育に創造性が足りないと言われるのは、まさにこの点だろう。

これはそのまま、人生に対するスタンスにも大きく影響する。リスクのともなう結果の不透明な挑戦よりは、確実な答えのあるレールを選ぶ気風を、知らず知らずのうちに育《はぐく》んでしまうのだ。諸外国に比べて、日本の若者に極端に起業家精神が低いのはこれが理由だ。たとえば、「国際競争力年鑑二〇〇五」では、〝起業精神〟において、日本は六〇カ国中の五九位だ（ちなみに前年度は最下位）。

研究開発費、特許取得数などでトップ5に入っていながらのこの順位は、もうほとんど奇跡と言うしかない。

こう考えると、日本型教育システムというものは、年功序列的考え方と非常に相性がいいことに気づく。

小学校入学から高校・大学までの間に、正答一つの課題を与え続け、疑問を抱かずに効率よくこなせる人間だけ上に引きあげる。そして社会に出る頃には、「与えられるものはなんでもやれるが、特にやりたいことのないからっぽの人間」を量産できるシステムだ。

もちろん、高校のランクはそのまま大学のランクに比例し、大学のランクは就職可能な企業のランクに直結する（たいていどこの企業にも、採用対象とする大学のラインがある）。人によっては、年功序列のレールは高校あたりからすでに始まっているとも言えるだろう。

奉公構《ほうこうかま》いと終身雇用

〝奉公構い〟という言葉がある。

もともとは豊臣秀吉が作った制度で、その後、江戸時代にまで引き継がれた。ひと言でいうと、大名が家臣を囲い込むためのシステムだ。

たとえば、ある大名が、自分の許可なく勝手に家臣を辞めた人間を〝奉公構い〟扱いと宣言したとする。すると、どんなに有能であっても、他家はけっして彼を採用できない仕組みだ。要するに、人を組織に縛りつける手段と考えていい。

「七度主君を変えねば真の士《さむらい》にあらず」と言われたように、それまでは武士と領主の関係はどちらかというと対等の契約関係に近く、主君がその義務を果たしていないと思えば、家臣は勝手に他家へ転職するのがふつうだった。

だが、この頃から契約という概念に代わり、「二君《じくん》にまみえず」というような、自己犠牲型の概念が芽生えていくことになる。

「さすが封建時代、やることがえげつない」と笑う資格は、現代日本人にはない。というのも、わりと最近まで、似たような風習は一部の業界に存在したからだ（個別の企業間ではいまでも存在する)。

たとえば、ある同業の大手企業同士が会合し、「自分たちの間では、現役社員については、お互いに中途採用しないようにしましょう」と取り決める。当然、系列の企業もいっせいに右へならえだ。

これにより、転職希望者がいたとしても、彼が自分のスキルを生かして転職できる機会はぐっと少なくなる。まったく畑違いの業種でゼロからやり直すか、そういうしがらみを嫌う外資系企業でゼロからやり直すしかない（彼らはもともと、会社と個人が対等というカルチャーを持っている場合が多い)。

要するに、そうやって従業員が逃げ出すのを抑止する狙いだ。四〇〇年前の奉公構いとなんら変わらない。日本で長く転職市場が拡大しなかった裏には、こんな事情もあるのだ。

「そんなひどい話はうちにはないよ」と言う人も多いかもしれない。だが、「やたら熱心に結婚を勧める」「早くマイホームを買えと言う」上司に心当たりがあるという人は多いはずだ（第２章の銀行員・駒井氏もこのケースだ)。

これもまったく理由は同じ。家庭を持ったり、マイホームのローンを抱えたりした従業員は、それだけ転職へのフットワークが重くなる。足につける重しという意味では、奉公構いと変わらない。

そういった企業は、なぜそうまでして従業員を囲い込む必要があったのだろう。従業員を鎖でつないでおくメリットはいくつかある。

たとえば、全国紙で経済面を二〇年近く担当している記者などは、こんなことを言っている。

「以前は、企業についてそこの社員に取材しても、みんなとってつけたように広報と同じことしか言わなかった。取材するのに苦労していましたよ。最近はベラベラ喋ってくれるようになりましたが」

転職する余地がなければ、自分の会社にとって都合の悪いことなど言わないだろう。乗っている船が沈んで困るのは自分自身だ（この話からは、囲い込みが崩れると同時に愛社精神が薄まっているのもよくわかる）。

他にも、人気のない地方支店に転勤させたり、本人の希望を無視して泥臭い仕事ばかりをやらせたり、もうやりたい放題だ（日本人に長くキャリア意識が芽生えなかった理由の一つだ）。

赤字になりかけたら「自社製品現物支給でしのぐ」など、そんなことができるのは、先進国では日本くらいだろう。

つまり、逃げ道をふさぐことで、企業の従業員に対する立場が圧倒的に強くなるのだ。これはまさに主君と家臣の関係に近い。

「君が君たらずとも、臣は臣たるべし」

日本企業の中間管理職のマネジメント能力がおしなべて低いのは、長い間そんなことをする必要がなかったからだとも言える。

そして、このような関係に立ったうえで企業が手にすることができる大きなメリットがもう一つある。それは、労働の量そのものだ。

欧米人の一・五倍働く日本人

ちょっと前、日本人の年間総実労働時間（要するに、休憩や休暇を除き、一年にどれくらい働いたか）が、アメリカを下回ったことが話題になった（厚生労働省作成・二〇〇三年毎月勤労統計調査）。

勤勉というイメージとはおよそほど遠いアメリカ人を下回ったのだ。高度成長期にワーカホリックとして名を馳《は》せた日本は、この資料を見る限りでは、いつのまにか労働者天国にな

主要国年間総実労働時間の推移

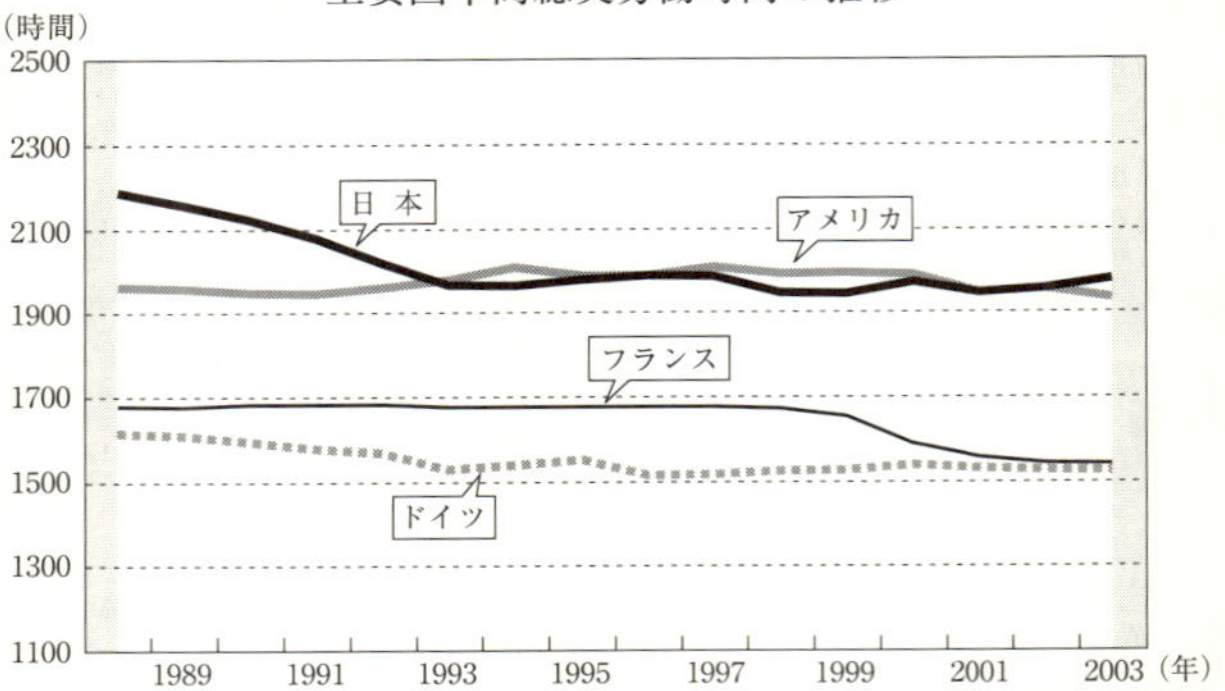

※厚生労働省作成資料より:製造業対象

っていたらしい(実際のアメリカ人はむしろよく働くほうだが)。

だが、数字をよく見ると、すぐにおかしな点に気づく。二〇〇三年度の、日本の年間総実労働時間は一九七五時間。単純に月で割れば、ひと月あたり一六四時間になる。朝九時から夕方六時まで月二〇日働いて、一日くらい二、三時間残業すれば、だいたいこれくらいの数字にはなる。だが、それが日本の平均的サラリーマンだとはとうてい思えない。

実は、この統計には三点ほど留意すべき点がある。

まず一つは、この統計対象にはパートタイマーもカウントされている点だ。一概には言えないが、彼らはフルタイム労働者の五〜六割程度の労働時間と言われている。くわえて、一九九〇年代を通じ、パートタイマーは増加し続けている(フリーター増加と密接な関連がある）。これが平均値を大きく下げていると思われる。

留意すべき二点目は、年俸制や裁量労働制といった、時給という概念のない新しい勤務形態が増えている点だ。二〇〇〇年の時点で、上場企業の過半数が、どちらかの勤務形態を導入済みだった。これも当然、実労働時間を押し下げる要因になる（一般的に、彼らは何時間働こうが、所定内時間分の労働としかカウントされない）。

そしてもっとも重要な三点目は、この統計自体が、そもそも給与支払い実績を元に作成されているということだ。つまり、サービス残業分はカウントされていないことになる。

ここ日本では、違法ではあっても巷《ちまた》に溢れる違法行為がいくつかあるが、サービス残業はもっとも身近なものかもしれない。それくらい、どこにでもある話だ。

では、実際のところ、日本人はどれくらい働いているのだろう。

参考になる資料としては、総務省が作成した〝労働力調査〟という資料がある。これは戸口調査をベースとしたものだから、厚生労働省の資料よりはずっと実態に近いと思われる（調査員に「いやあ、今月は父さん一〇〇時間も残業しましたよ」と自慢する世帯主はまずいないだろう）。

この調査によると、男性一般常用雇用者の週平均労働時間は約四八時間（二〇〇五年版）。

年にすると二五〇〇時間となる。おそらくこれが現実的な数字だろう。

つまり、平均的な日本人は、いまでも欧米人の一・五倍程度は働いている計算になる。

ちなみに、私自身も企業在籍時、年二七〇〇時間ほどは働いていた。それでも同じ年代の人間のなかではむしろ少ないほうだった。年功序列企業では若年層ほど実作業が集中するから、残業時間は増える傾向がある。三五歳以下のサラリーマンなら、ドイツ人やフランス人の二倍働く人間も珍しくはないだろう。

この過酷な長時間労働は、休暇の取り方にもあらわれている。欧米ではあたりまえのように有給休暇消化率ほぼ一〇〇パーセントなのに対し、日本は五割弱でしかない（ちなみに、有給休暇日数自体、ヨーロッパでは四〜五週間が平均的だ）。

もっと言えば、彼らの有給休暇は純粋なバケーションで、体調不良は別枠で処理するのが一般的だ。これが日本だと、有給取得理由のナンバーワンは〝風邪〟だろう。

なぜこんな違いがあるのかといえば、日本においては、休暇は「会社の恩情によるサービス」であり、労働者の権利とは認知されていないためだ（一応、労基法では権利とされているが）。こんなところにも、先の「主君と家臣」の力関係はしっかり働いている。

こんなむちゃくちゃな労働環境でも黙々と働く日本人は、たしかに勤勉には違いない。

だが、それを美徳と呼ぶには強い違和感をおぼえる。たとえるなら、羊の従順さのようなものだ。

羊を逃がさないようにするには二つの方法がある。一つは逃げられないように鎖でつなぐこと。もう一つは、そもそも逃げようという気を起こさせないことだ。

教育も企業文化も、従順な羊を作り出す道具としての一面を持っているのは間違いない。

体育会系が好まれる理由

余談だが、企業が採用において重視するのは、なにも学歴や専攻だけではない。部活動も同程度、いや、場合によってはそれ以上に重要視されることがある。

はっきり言うと、体育会系であれば、偏差値プラス一〇くらいは下駄を履かせてもらえるのだ（企業によっては、それだけで大学名不問というところもある）。これはなにも民間企業だけの話ではなく、あの日銀にも〝某大学ボート部枠〟というものはしっかり存在する。

彼らが企業を魅了してやまない理由とはなんだろう。

もちろん、よく言われるように、「体力があるから」などという単純な理由ではない。ふつうの会社なら、相手を投げ飛ばしたり、タックルしたり、何十キロもある荷物を担いで回る仕事なんて、このITの時代にはまずありえない。

彼らの（企業から見た）最大のセールスポイントは、ひと言でいえば「主体性のなさ」だ。小中高と連綿《れんめん》と続く詰め込み教育を経て、さまざまな企業内カルチャーで鎖につながれても、それでも年功序列のレールから逃げ出す人間は昔からいた（そして近年は急増している）。その点、彼らは少なくとも〝体育会〟というプラスアルファを経ている。

これは、義務教育などよりもはるかに強力な昭和的価値観を醸成する。（まるで戦前の小学校で見られたような）徹底した組織への自己犠牲の精神、ときには体罰さえも含む厳しい上下関係といったカビの生えたような遺物が、いまも多くの体育会では脈々と受け継がれているためだ。

結果として、彼らは並の若者などよりは、ずっと従順な羊でいてくれる可能性が高い（多くの企業ではそういう実績があるのも事実だ）。つまらない仕事でも「上司に言われた以上は」きっちりこなしてくれる。休日返上で深夜まで働き続けても文句は言わない。

これが、企業が体育会系を好む最大の理由だ。そしてこの嗜好《しこう》は、他の従業員に対してもまったく変わることはない。先に述べたように、日本企業においては「我慢こそ最大の美徳」なのだ。

人が働く理由

少年たちが公務員に憧れ、大人たちは生涯の大半を仕事に捧げることがあたりまえの国。そんな風土は、日本人の労働観にも大きな影響を与えている。

よく、「日本人が勤勉なのは文化だ」と言う人がいる。実際そうかもしれない。ルース・ベネディクトは自著『菊と刀』のなかで、「日本人は与えられた義務を果たすことに幸福を見出す」旨を、五〇年以上昔に述べている。義務とは共同体のなかにおいて与えられる役割であり、年功序列的世界でのレールと同じ意味合いを持つ。同書のなかで、「日本人は予想外の事態に直面するのをもっとも恐れる」とも書かれているのは、実に興味深い（予想外の事態＝レールを外れることだ）。

この困った（支配層にとってはある意味便利な）国民性は、戦後民主教育のなかで失われたのだろうか。いや、前項で述べたように、組織のなかの義務を果たすことだけに汲々《きゅうきゅう》とする向きは、むしろ強まっているように思える。

考えてみれば、「行ってこい」の一声で日本人が爆弾抱えて特攻していたのは、いまからつい数十年前の話だ。個人の権利のため、数百年前から革命闘争を続けてきたヨーロッパ人と比べること自体に、どだい無理があるのかもしれない。

だが、(正否はともかく)特攻隊の人間には守るべき大義があった。

一方、月二〇〇時間残業するサラリーマンに、会社を守るために命を捨てる覚悟があるとはまったく思えない。

年功序列的価値観のなかで生きる日本人にとって、仕事とはなんだろう。

そもそも、人間はなんのために働くのだろう。ふつうは働くこと自体に意味はない。その人にとって特別な意味を持つ仕事もなくはないが、そんな人は一部の芸術家や宗教家、革命家くらいで、現実問題、ふつうに暮らしていれば、まずお目にかかることはない。

それでも「労働には意味がある」という考えは、なんらかの必要性から作られたモラルでしかないだろう。

つまり、人が働くのは別の明確な動機があるのだ。

もっとも切実かつ共通な動機はお金だろう。食事をし、家賃を払い、そして家族を養うには誰しもお金が必要だ。

もちろんその強弱はある。ふつうの暮らしができればいいという人もいれば、六本木ヒルズに住まないと気が済まないという人もいる。

他にも動機はいろいろある。実現すべき理想がある人、自己の内部に表現したい何かを抱え込んだ人、趣味に人生をかけている人。なかには社会貢献という人もいるはずだ。

要するに、本来はそういったもろもろの動機があるためにやむをえず、われわれは満員電車でもみくちゃにされながら通勤し、有給休暇を塩漬けにしつつ、殺風景なオフィスで夜遅くまで働くわけだ。

仕事自体が楽しくてしょうがないという幸運な人はめったにいないだろう。

ところで、これが年功序列という限りなく閉じた世界での話になると、少々話が変わってくる。

年功序列というレールからなかなか降りられず、人生のすべてを費やして、ただ前に進むしかなくなった人間は、本来の動機を喪失してしまいがちだ。

たとえば、入社一年目の新入社員時代、同期でお酒を飲みにいくと、たいてい各自が担当する仕事の話が中心になる。まだ社会経験が少ない分、それぞれの仕事内容に興味津々《しんしん》なのだ。

ところがこれが一〇年以上経つと、同じ面子《メンツ》で飲みにいっても、間違いなく話題の中心は〝人事〟の話だ。やれ誰それが課長になっただの、誰それは転職しただのといった話題が、下手をすると二時間近く続くことになる。なかには、「あいつが課長になったのが許せないから、俺は転職する」と言い出す人間まで出てくる始末だ。昔は多少なりとも抱いていた「〜をやりたい」という気持ちはすっかり影を潜《ひそ》めてしまっている。

最初に持っていた動機が、いつのまにか働く（レールを進む）行為そのものへとすり替わっているのがよくわかるだろう。そう、これは〝道〟の発想だ。多くの日本人が知らず知らずのうちに、「サラリーマン道」とも言うべき生き方に縛られて日々を生きている。

これは江戸時代の武士に似ている。武士道も剣道も、みな江戸時代に成立した。手柄を立て、褒美を得る。あるいは戦場で敵を倒す。そういった本来の目的を喪失しても、武士は武士として生き、剣を持たねばならない。そこで行為自体が目的となったわけだ。

この話をすると、よくこんな反論をされることがある。

「たとえばシリコンバレーでは、アメリカ人は日本人以上に働くではないか」

それは半分正しく、半分間違っている。たしかに彼らのなかにはオフィスに寝泊まりし、休日返上で倒れる勢いで働く者もいるが、彼らは上場やストックオプションで億万長者になるために働いている。そして、その目標の成否にかかわらず、その多くは四〇までに引退する。つまり彼らには、「若くして大金を稼ぐ」という、あまりにも明白な動機があるのだ。

かたや日本のサラリーマンは、ストックオプションがあるわけでもなく、売上の何割かをボーナスとして貰えるわけでもない。ただそこに仕事があるがために、生活のすべてに優先して働き続ける。まさにこれは道なのだ。

「武士道とは死ぬことと見つけたり」

武士道の教科書とも言うべき『葉隠《はがくれ》』のあまりにも有名な一節だ。これを読んで笑う現代日本人は多いだろうが、当時の武士がわれわれを見れば、きっとこう言うだろう。

「おまえたちもまったく同じではないか」と。

かつて共産主義は、先に挙げたような「もろもろの働く動機」とはまったく別の動機をイデオロギーによって作り出そうとし、そして失敗した。ある意味、日本はまったく違った形で、それに成功したと言っていいだろう。

「昭和的価値観」の正体

一七世紀のイギリス人、ホッブズは、その著作『リヴァイアサン』のなかで、リヴァイアサンという古代の怪物を蘇《よみがえ》らせた。もともとは旧約聖書に登場する、複数の頭を持った海の怪物である。

といっても、この著作は冒険小説などではなく、きわめて真面目な政治論だ。

彼の考えを要約すると、個人が個人の権利を主張し合うだけでは社会の秩序は維持できず、社会を丸く収めるために作った仕組みが国家である、というものだ。

当然、個人の権利を超越する存在としてそれは存在し、まるでリヴァイアサンのような絶対的なパワーを持って君臨する。

個人は、社会の維持のために自分の権利を少しずつ差し出しているのだから、リヴァイアサンに従うのは当然だ、という論理だ（おどろおどろしい名前で誤解されがちだが、彼自身は王権の正当化のためにこれを書いた。そのため〝怪物〟が自らのエゴのため暴走したらどうすべきか、という点については一切触れていない）。

つまり、個人が安定を手に入れるために、皆で力を合わせて作ったシステムがリヴァイアサンだと言えるだろう。

実はまったく同じものが、この日本にも存在している。

それは、企業内に年功序列というレールを敷き、安定性と引き換えに、労働者に世界一過酷な労働を強いている。そのレールから降りることを許さず、一度レールから外れた人間はなかなか引き上げようとはしない。

それは、自分に適した人材を育成するための教育システムも作り上げてきた。小学校から始まるレールのなかで、試験によってのみ選抜されるうち、人はレールの上を走ることだけを刷り込まれ、いつしか自分の足で歩くことを忘れ果てる。最後は果物のように選別され、ランクごとに企業という列車に乗り込み、あとは定年まで走りつづける。

そう、それこそが、「昭和的価値観」の正体だ。

彼と、彼が作り上げ、維持してきた年功序列制度は、実に優れたものだった。誰もが安定して長い期間働くことで技術力が蓄積され、日本製品は世界の市場を席巻《せっけん》した。

横並びで詰め込み型の教育システムは、均質で従順な労働者を大量に供給し、彼らは超長時間労働に文句も言わず、年功序列型企業の原動力となって馬車馬のように働いた。

いまの日本を形作ったのは、まさしく年功序列制度だと言っていい。

だが、成長の時代が終わり、年功序列制度が崩壊の危機に瀕《ひん》すると、リヴァイアサンは暴走し始める。

本来は「誰もが幸せになるために、ちょっぴり権利を与えた」はずのリヴァイアサンは、自らを延命させるためだけに、若者を搾《しぼ》れるだけ搾ろうとし始めたのだ。

派遣社員の拡大、新卒雇用の削減、年金保険料の引き上げ。すべては社会の発展のためではなく、彼自らが生き延びるためだ。

歪んだ格差は、少子化となって社会自体を危うくし始めている。一九九〇年代、ひとりの老人を四人の現役世代で支えていたが、二〇二五年には二人で支えねばならないことはすでに確実だ。それが本当にできるかどうかは誰にもわからないが、それでもいまの若者は黙々と老人たちに貢《みつ》ぎ続けている。

リヴァイアサンの断末魔《だんまつま》の叫び

さすがのリヴァイアサンも、危機感は抱いているのだろう。昨年、経済産業省が「社会人基礎力に関する研究会」なるものを立ち上げた。

「社会のニーズの変化に対応する人材を育成する」ための勉強会のようなものらしいが、そもそもなぜ経済産業省なのか。ふつうなら文部科学省あたりがやりそうなものだ。

同会が先日出した中間報告を見れば、理由はなんとなく見えてくる。彼らは企業現場で求められる人材像を分析し、〝社会人基礎力〟と名づけている。

抽象的すぎてさっぱり意味がわからないので省くが、報告書の後半に本音が出てくる。

『社会人基礎力により実現されるメリット』
・採用と入社後育成の一貫した実施により、若手人材の育成や定着を促進できる。
（中略）
・結果、関係者間のコミュニケーションが促進され、採用時や就職後のミスマッチ等の社会的コストの低減につながる。

要するに、「企業が必要とする人材は現在こういうタイプで、そういう若者をもっと作ってくれ。そのなかでも特に〝辞めない人材〟を作ってくれ」ということらしい。

研究会のメンバーを見てみると、そうそうたる大企業の人事責任者がズラリと顔をそろえている。

新卒離職率は三五パーセントを突破し、さらに上がる勢いだ。若者が従来のようには居着かない状況に危機感を持った経済界のリヴァイアサンが、官僚のリヴァイアサンに泣きついたというのが真相だろう。

「どうしたら辞めないような人材を作れるか」という点だけにフォーカスし、「なぜ逃げられるのか」という点はてんで無視しているのが実に象徴的だ。

さらに、最近になってよくこんなことを耳にするようにもなった。

「日本も移民を大量に受け入れるべき」

なるほど、実にわかりやすい。国産の若い羊はどうやら最近元気がなく、年功序列のレールからすぐに逃げ出す。おまけに繁殖力も弱いときている。外国産の元気な羊を入れたほうが効率的には違いない。

たしかに、彼らは低賃金でも重労働でも、そして将来に希望がなくても、文句一つ言わずに働いてくれるだろう（彼らの多くは、日々の糧《かて》を得ることが動機だからだ）。

だが、彼らもまた人間だ。そんな便利な羊でいてくれるのは一代限り。日本で生まれ育ったその子供たちは、当然のようにそれぞれの動機を求め、レールから降りるに違いない。モチベーションとは、充足されればさらに上を目指すものなのだ。

あとには、フランスのような混迷した社会だけが残ることになる。人はけっして羊にはなれないのだ。

「日本も欧米のように移民を認めろ」

「もっと（労働者派遣法改正などの）規制緩和を」

「従順で勤勉な若者を育てろ」

これらの叫びは、私にはまるで、老いたリヴァイアサンの断末魔の叫びに聞こえる。

だが、彼らは実に狡猾《こうかつ》で抜け目ない。それは企業から政治、教育、メディアにまでしっかりと根を張り、閉塞感の原因をさまざまなものにすり替えようと躍起になっている。

組合は年功序列を捨てたと経営者を非難し、経営者は国際競争力維持のためとさらなる規制緩和を要求する。野党は格差拡大の原因を政権に帰し、政府は矛先をかわすために問題解決を先送りする。そしてメディアは、常に昭和的価値観の広告塔であり続ける。

一見激しく対立し合うように見えても、彼らは皆、同じリヴァイアサンなのだ。

彼らが朽《く》ち果てるか、それとも、この十数年間そうしてきたように、ツケを将来に回すことで延命を図るか。

いままさに、日本は分岐点に立っていると言えるだろう。

第6章　「働く理由」を取り戻す

年功序列というレール。そして、昭和的価値観に支配された世界。少なくとも一九八〇年代までは、（人生いろいろあったにせよ）多くの人がそのなかで生き、人生トータルではプラスだと感じていたはずだ。

ただ現在のところ、多くの人が現状に強い閉塞感を感じているのも事実だろう。特に若者の場合、それは強い負担と、ときに絶望さえともなって四六時中襲ってくる。

自分がそのレールにとどまるべきか、それとも別の道を探すべきか、どちらがよいかは各自が判断するしかない。

いずれにせよ、まず若者にはやるべきことが一つある。それは、〝心の鎖〟を解き放つことだ。

われわれは年功序列システムのなかで、いつの間にか心まで枠にはめられてしまっている。その枠とは、「待っていれば誰かが必ず正答を与えてくれる」という固定観念だ。それを捨てて、自分にとっての正答は何か、一度問い直さなくてはならない。

いわば、失われた動機を取り戻すのだ。

「なんのために働くのか」

こんなことを書くと哲学的な響きで敬遠されそうではあるが、実はこれは、自分のレールについて考えるとき、絶対に避けては通れないプロセスだ。

自分がいまのレールから降りるべきかどうか。そして降りると決めたら、次にどこに向かうべきか。これらの問題に直面すると、人は嫌でも「何を求めるのか」というテーマに直面せざるをえないからだ。

答えを見つけるには少々厄介《やっかい》なテーマであるが、それを見つけた人間もいる。

本章では、あえて自らの意志で列車を降り、レールのない荒野へ踏み出した若者たち、いわば「荒野の狼たち」を取り上げたい。

彼らはけっして立志《りっし》伝中《でんちゅう》の人物でもなければ、生活費のために働く必要なぞない富裕層出身でもない。あえて言うなら、もっとも明確に自らの動機について語ってくれた人たちだ。

彼らは何を思い、昭和的価値観に背を向けたのか。そして、彼らは何を目指したのか。

大手生保から史上最年少政治家へ

ときどき、日本型教育システムにおける優秀層の人間ほど、逆に自らの動機が希薄なように思えることがある。

「なぜあなたは、いまの仕事をしているのか？」

この質問に対し、よどみなく答えられる人間は、エリートと呼ばれる人間ほど少ないのだ。むしろ、彼らは動機を失うことで、その地位を手にしたのかもしれない。以下は、レールに乗ったあとで、自らの動機に気づいた若者のケースだ。

一九九七年春。先の見えない不良債権処理の行方に、企業は新規投資をギリギリまで絞ることで対応した。人材採用も一種の投資だ。新卒求人数は年々減少し、企業への門は狭まる一方だった。

このあたりから数年間が〝就職氷河期〟と呼ばれる超買い手市場であり、自分の希望する会社に就職できた人間が、終戦後の混乱期を除けば、もっとも少なかったであろう時代だ。

そんななか、長田氏は自分の希望どおりの会社に就職できた少数派のひとりだった。

「とにかく、漠然と世の中を動かす仕事をしたいと思っていました。それで、何十億というスケールの大きなビジネスができそうな会社を、という気持ちでしたね」

彼が就職先に選んだ会社は、国内最大手の生命保険会社だ。保有契約高三五〇兆円、世界でもトップクラスの契約数を誇る。彼の希望どおりと言っていいだろう。

だが、就職してすぐに、彼は自分の希望と現実のギャップに戸惑いをおぼえた。

「最初の業務は支店での内勤です。何十人というセールス職員を管理し、数字を作るのが担当ですが、要はなんでも屋ですね。慰安《いあん》旅行の企画からクレーム対応まで、雑用はなんでもこなします」

世界一の保険会社に就職したつもりの彼にとって、そこはあまりに看板とかけ離れた世界だった。

「面接のとき、自分の率直な気持ちと仕事のイメージを伝え、それが評価されたんだと思っていたのですが……」

大きなビジネスをしたい、社会をこう変えていきたい――それに対して会社側が出した答えが内定であるはずだった。上司に相談したところ、返ってきた答えは意外なものだった。

「最初の数年は地方の支店で現場から叩き上げる。それから、人によっては本社で専門的な業務に従事させる」

では資産の運用や商品設計業務は？　との問いに対する答えを聞いて、長田氏は衝撃を受けた。

「うーん、だいたい四〇代になってからかな。いずれにせよ、本社である程度出世してからだ」

これは、第１章で述べたとおりの年功序列企業の典型だ。年齢に基づく序列に従って、高位の人間から順に、頭を使う専門的な仕事を受け持っていく。だから、若い下っ端には雑用ばかり回ってくることになる。年功序列というレールが崩れたいま、人によっては定年まで雑用で費やすことになるだろう。

ただ、長田氏の会社は社風が古い分、逆に年功序列制度は堅持していた。業界大手だけに、それを可能とする体力もある。とりあえず我慢して働いていれば、それなりの出世はさせてもらえるだろう。

長田氏が幻滅したのは、別の理由だった。

「自分の職場を見ると、今後の自分の人生がよくわかる。ああ、一〇年後は主任になってあそこの席で、一五年後は課長で、という具合に。だいたいの年収までわかるんですよ」

それを「嬉しい」と感じる人も多いだろう。だが、それに「耐えられない」人もいる。レールに残る人、去る人の違いはここにある。長田氏は後者だった。

「もともと経済や社会問題に強い関心があり、余暇を利用してそういった勉強会に参加していたんです。そこでチャレンジする機会をいただいて、決断しました」

彼は結局一年で会社を辞め、新しい世界に踏み出すことになる。政治の場だ。地道な選挙活動の末、翌年の市議会議員選挙に見事当選した彼は、若干二五歳で埼玉県本庄市議会議員となった。日本最年少記録だ。

「どんどん会社を利用しろ」

「市議会議員は一期四年ほど勤めました。すごく自信になりましたね。年齢なんて重要じゃないんです。たとえば最先端の研究理論やＩＴ関係などは、若ければ若いほど有利。自分が正しいと感じたことには正直であるべきです」

満を持し、二〇〇三年からは民主党候補として国政に打って出る。特に二〇〇五年の衆院選は、乾坤一擲《けんこんいってき》で臨んだ選挙だった。

だがこの選挙では、郵政問題で広く国民の支持を集めた自民党が圧勝。民主候補がバタバタ落選するなか、彼の若い夢もついえた。

たしかに、選挙においては年齢に関係なく公平な機会が与えられる。直接市民に訴え、その理解を得られればいいのだ。その意味で、昭和的価値観とは無縁の世界だと言えるだろう。ただ、それは同時にリスクも意味する。レールなどない世界を行くのだ。敗れれば問答無用で退場し、ただの無職素浪人《すろうにん》に成り果てる。

一方、彼が辞めた大手生保は、日本を代表する高賃金高安定企業だ。変な話、黙って言われたことだけこなしていれば、そっちのほうが生涯賃金は多い可能性が高い。

にもかかわらず、彼はなぜレールを降りたのか。

「人間には本来、いろんな動機があると思うんですよ。たとえば、とにかくたくさんお金が欲しい、あるいはライフワークとも言える趣味があって、それを第一に考えたいなど。私の場合、それは社会をこう変えたい、こうあるべきだ、とでもいう思いですかね。それに気づいたのは入社後、明らかに〝それ〟とはぜんぜん違う人生を見せつけられてからなんですけど」

民主には、「同一選挙区で二回敗れれば、次は公認しない」という内規がある。現在、彼は政治を離れ、ある外資系コンサルティング会社で、再び組織の一員として勤務している。

「もちろん、生きるためには働かなくてはいけない。でも、まだ自分の思いは消えていません。戦略系コンサルタントの仕事は組織や経済を考えるうえで学ぶことが多い。日々自分が成長しているな、という実感がある。また機会があれば、挑戦したいと思っています」

もちろん、いまの会社は完全年俸制、年功序列のレールなど存在しない会社だ。だからこそ彼のような、きわめて優秀ではあるが、年功序列から見ればアウトサイダー的な存在を受け入れることができたのだ。

このオープンな社風は、人事制度全般にも言えるという。以下は、彼が現在の上司のひとりから言われた言葉だ。

「この会社が必要とするのは、会社を利用して、自分の価値を高められる人間。だからどんどん会社を利用しろ」

この言葉ほど、年功序列制度と実力主義の違いを明確に浮かび上がらせるものはない。年俸制のいまの会社には、当然レールなどはない。どこにどれだけ進めるかは、本人の努力次第であり、会社がとやかく言うつもりもない。

だから、もっとも要求される人間は、自分で方向を決め、自分で伸びていく人材だ。そういった人間が増えれば、結果的に組織のパフォーマンスも伸びていく。あとは結果に対して報酬を払うだけでいい。

ちなみに、もし最初の会社の上司に同じ質問をしたなら、こういう答えが返ってきたはずだ。

「わが社が必要とするのは、自分を殺して会社のために滅私《めっし》奉公してくれる人間。だからつべこべ言わず黙って働け」

別にその会社が特別古いわけではない。おおかたの日本企業なら、五十歩百歩の返答だろう。

彼らには社内に守るべき一本のレールがある。泣こうがわめこうが、社内の人間はただそれを進むしかない。となると必要なのは、会社の与える枠にすんなりはまってくれる便利な人間だ。彼らがアウトサイダーを嫌う理由はここにある。

最後に、長田氏に実名使用の可否を確認した。別に問題になりそうな発言はしていないが、それでも政治への思いを依然抱いているなど、会社側に伏せておいたほうがよいのでは、と思える部分もあるためだ。

「もちろん、本名で一向にかまいませんよ。同僚にも話していることですし。何か目的を持って生きることの、何が問題なんでしょう?」

取り越し苦労だったようだ。どうやら私自身、昭和的価値観がいまだに抜けないらしい。

ソニーを辞めてベンチャーCEOへ

通常、年功序列のレールから降りる場合、別の会社への転職を目指すのが一般的だろう。そういう若者は、本書にもこれまで大勢登場している。

ただ、新会社が通常の日本企業なら、単にレールを移っただけの話だとも言える。新しいレールでも先へ進める保証はないし、日本企業的な古さに辟易《へきえき》したことが転職の理由なら、国内の転職で解決する可能性は低い。なにより、もし自分の動機が明らかに企業内のレールの先にはない場合、問題を解決するには、自分の足で歩いていくしかない。

東京都内、半蔵門《はんぞうもん》駅のほど近くに、複数のベンチャー企業が入居するオフィスビルがある。フロアは大小さまざまの部屋に分かれ、会社の規模に応じて、各企業がオフィスを構える。それぞれのオフィスはけっして大きくはないが、いずれも若さと活気に満ちている。若者を締め出すことで急激に老化した大企業とは、実に対照的だ。

株式会社コネクティもそんなベンチャー企業の一つだ。フロアのなかではいちばん大きな部屋を使っている。

「Ｗｅｂ２・０技術を使った各種サービスを提供する会社です。最新の技術をネット経由でサポートすることで、さまざまなビジネスをローコストで提供可能です」

そう語るのは、若干三〇歳の服部代表取締役社長だ。

彼がソニーを退職し、起業したのは二〇〇五年末。まだ設立後半年という、できたてほやほやの会社である。

起業日照りだと言われ続けてきた日本だが、ここ数年、国や経済界のさまざまなプッシュもあり、起業件数は増加傾向にある。

彼ら起業家は、それぞれさまざまなプロフィールを持つ。企業の早期退職プランを利用した中高年もいれば、在学中に起業する人間もいる。服部氏のように、大企業から飛び出した若手も珍しくはない。

だが、彼が入社した一九九八年は就職氷河期の最中だ。激戦を勝ち抜いて入社したソニーブランドを捨てさせた動機とはなんだったのだろう。やはり彼もまた、「年功序列制度の谷間で苦しんだ若者」のひとりだったのか。

「管理部門からマーケティング、ソフトからハードの企画まで、幅広い経験をさせてもらいました。わがままをよく聞いてもらえたな、と思いますよ」

余談だが、近年、企業のなかで幹部候補生の早期選抜育成が盛んになってきている。もう成果主義なのだから、優秀な人材さえ伸ばせばよい、という発想だ。従来の横並び式の否定と言っていい。

ソニーも例外ではない。将来の経営陣予備軍として、ごく一部の優秀層を選抜し、早期に英才教育を施《ほどこ》すことによって経営のイロハを学ばせている。そのプログラムも、大学院と共同開発した専用のものだ。

かつて服部氏は、このコースにただひとり、二〇代で選抜された若手のホープだった。年功序列というレールは、すでに多くの人にとって幻でしかない。だが少なくとも彼の前にはゆるぎなく続いていたはずだ。彼がレールを降りた動機とはなんだろう。

「私は常に、自分の担当業務とは別に、会社の製品開発やマーケティングに対して『自分ならこうする』ということを考えながら働くようにしていたんです。もちろん勝手な思い込みだったかもしれませんが、経営学も学び、その思い込みがゆるぎない自信に変わった。自分ならもっとうまくやれるはず……でもそれが大企業のなかでできるようになるのは、早くて二〇年後です」

どんなに能力主義をうたっていようと、どんなに風通しのよい社風であろうと、初任給から一段一段積み上げる職能給方式を採っている以上、社内にキャリアパスは一本しかない。そしてそれは、本質的には年功序列制度だ。

「私のいまの思い、考えを形にするにはいましかない。それは二〇年後では遅いんです」

往年の名プレイヤーだけがコーチや監督に就任するシステムは、もはや限界に達している。代わって求められているのは、プロフェッショナルとしての訓練を受けた人間が、それぞれの役割を果たす組織だと彼は言う。

「経営のプロであるためには、実際に経営で経験を積むしかない」

それが彼の信念だ。

彼の立ち上げたコネクティ社には、面白い特色が一つある。社長以外、一切の役職は存在しない。各メンバーが〝フェロー〟という呼称で呼ばれる組織だ。

「各メンバーがそれぞれの役割を持ち、そのプロフェッショナルであることが理想です。だから序列なんて一切必要ない」

彼自身、社長という役割を果たす一メンバーとしての意識でいるという。

「対外的に社長の肩書は必要ですから名乗っていますが、社長は社長という役割を果たす経営のプロフェッショナル。それ以上でも以下でもありません」

コネクティ社は開業から半年の間に、すでに三度ほど引っ越している。引っ越しといっても、すべて同じフロアのなかの話だ。

「小さな部屋から始めて、だんだんと大きな部屋に移ってきたんです。おかげさまで、いまではフロアでいちばん大きな部屋ですね」

同社が別の大きなテナントに移る日は、そう遠い先の話ではなさそうだ。

楽しんで働く、ということ

仕事の内容、働く理由はさまざまだ。一〇〇人いれば、一〇〇通りの答えがある。実際、最初から明確なビジョンを持って就職し、あるいは独立する人間のほうが少数派だろう。ほとんどの人間はなんとなく就職し、日々なんとなく働いている。

久保内氏もそんな多数派のひとりだった。

彼が大学を卒業したのは二〇〇一年。ちょうど就職氷河期の底あたりのことだ。彼はいわゆる〝既卒〟として、内定のないまま卒業してしまう。

「学生時代はただフラフラしてるだけでしたね。そのまま特に目的もなく就職活動し、結局内定も取れなかった。まあ厳しい年でしたから、そんな人間なら当然かも」

実家を飛び出すように上京し、都内に部屋を借りたものの、なかなか仕事は見つからない。カードでキャッシングをくり返すうち、気がつけば借金は二〇〇万円にのぼっていた。

借金に追われるようにして、派遣やバイトを掛け持ちでこなすようになり、多いときで「日に二〇時間」も働いたという。

「何か目標を見つけたからというわけではなく、とりあえず生きるために必死でしたね」

そんなフリーター生活が二年ほど続いた。

だが、そんな彼が唯一ずっと続けた仕事があった。

「バイトがきっかけで、ライターの仕事を請け負うようになったんです。エロからITまで、なんでもやりましたね」

最初はひとりで請け負っていたが、やがて個人のネットワークを駆使し、友人にも割り振っていくようになった。

彼の周囲には、同じ趣味を持つ友人たちが多い。アイドル、PC、ソフトウェア、ゲームなどで、人によっては彼らをオタクと呼ぶかもしれない。

友人たちのなかには、彼同様、年功序列のレールに乗りそびれた人が多い。みなフリーターやニートとして生きていたという。

「でもね、そういった人間のエネルギーはすごいんですよ。好きとなればとことん突き進む」

誰に何を割り振るか、決めるのは彼の役目だ。もともと個人の技量は高いうえに、仕事も丁寧でハイレベルだ（本人たちの嗜好とマッチすれば）。ひとりマネージャー的な役割をこなすバランサーがいれば、彼らは一つの組織としてスムーズに機能する。

その後、舞い込んでくる仕事の量は次第に増えて、気がつけば編集プロダクションを立ち上げるまでに成長していた。現在専属メンバーは五名。もちろん、みな友人たちだ。

いまでは、出版社からムック本の企画、編集を丸ごと請け負う。ＩＴ技術の特集から、デジタル機器の機能特集まで、その道の達人が編集に携わる。仕事としてではなく、好きで好きでたまらない人間が作るコンテンツは、非常に内容が濃い。

「紙媒体ではムック本形式だけで月に二、三冊。ウェブベースだと、企業から請け負うサイト製作やメンテナンス、コンテンツ作成などが中心ですね」

ちなみに現在製作中の企業サイトは、某銀行のものだ。ガチガチの年功序列企業のサイトを立ち上げるのが、実はレールから降りた人間たちだというのが面白い。

また、雑誌や新聞などのメディアからの、ニートを紹介してほしいという依頼も多い。

「年は何歳くらいで、こういう経緯でニートになった人間を」と言われれば、すぐにアテンドして紹介できる。彼の周囲には、たいていのタイプのニートがそろっているのだ。

フリーターやニートは、とかく社会で肩身が狭い。収入も納税額も少ない彼らは、昭和的価値観からすれば、たしかに下流社会かもしれない。

このあたりについてどう思うか、彼に質問してみた。（結果的とはいえ）事業を立ち上げることで、仕事や人生観について、彼の意識に変化はあったのだろうか。

「そういう意味では、僕たちは以前となんら変っていません。もっと組織を大きくして、たくさん稼いで、という発想はまったくない。目標は一つ、全員が楽しみ、そして全員が食っていくことです」

以前、メンバーのひとりが別の雑誌の仕事をしていたときのことだ。彼が企画した〃某アイドルのブログ〃は、その後、日本でもっともアクセス数の多いブログへと成長した。もとはと言えば、「彼女の日記が読んでみたい」という個人的希望から出た発想だ。

「お金や地位も大切ですけど、どれだけ自分たちが楽しんで生きるかという点も、同じくらい重要だと思いますよ」

彼のオフィスには笑いが絶えない。大企業にありがちな「自分を押し殺す」という空気は、そこには微塵も感じられない。

久保内氏が立ち上げた編集プロダクションの売上は順調に伸び続けている。二〇〇六年度で七〇〇〇万円を超える見込みだ。ちょっとした企業と言っていい。

実は彼はいま、プロダクションの株式会社化を考えている。売上と利益率を考慮すれば、すでに十分その資格はあるはずだ。

「でも、株式会社化すると、いろいろと面倒な手続きが増えるんですよ」

その話を聞いて、「もったいない、早く会社化すればいいのに」と感じた自分は、相変わらず昭和的価値観が抜けないようだ。

義務と役割

彼らの話を聞いていると、人が生来持っているはずの〝働く理由〟が、うっすらと見えてくる。政治から趣味まで、一見すると彼らの行動基準はてんでんばらばらだ。だが三名とも、常に自分の動機と真剣に向き合っていることがよくわかる。

簡単に言えば、彼らが義務を負っているのは、他の何物でもない、自分自身の内なる動機に対してだ。

「そんなもの、誰にだってある」という意見もあるだろう。たしかにどんな仕事であれ、そこには「給料を貰う」という世界共通の目的があるのは間違いない。だが、それを土台として、各人の目的はさまざまに枝分かれし、政治・経済、文化まであらゆる活動を形作っているはずだ。

重要なのは、その多彩な枝葉のなかには「定年まで無難に勤め上げる」という目的は本来含まれない、という点だ。それは共通の土台、「毎日飯を食い、ねぐらを確保する」という、純動物的な動機と同じレベルのものでしかない。

これこそ、年功序列と日本人の関わりの本質だろう。逆に言えば、年功序列システムとは、人間本来のバラエティある動機群を眠らせ、無個性で単純な歯車にしてしまうことなのだ。

これは、自分の乗ったレールに見切りをつけ、新天地に移ったはずの転職者にも当てはまる問題だ。

たとえば、企業人事のなかだけで囁かれる言葉に、「転職によって成功する人は一割程度」というものがある。つまりそれだけ、(転職には成功したとしても) 後悔する人間が多いということだ。

これにはいろいろな理由がある。募集広告や紹介会社の言葉に安易にのっかってしまったケースや、目先の給料アップに釣られてしまったケースなどだ。なかには〝なんとなく〟気分的に転職してしまう人もいる。

だが最大の理由は、彼ら自身が「自分の動機」に気づく前に、安易にレールを降りてしまった点にある。

たとえば、明確に「自分は~をやりたい」という動機のある人間なら、転職は個人と募集企業の双方にとってハッピーな結果に終わる可能性が高い。

だが、転職の理由が「社風が古い」「もっと面白い仕事がしたい」程度の漠然としたものなら、それは転職によって解決する可能性はむしろ低いだろう。日本にあるすべての企業は、多かれ少なかれ年功序列的色合いを持っている（一部の金融・ＩＴコンサル系が例外なだけだ）。もちろん企業によって温度差はあるが、彼が感じていた閉塞感は形を変えて再び姿をあらわすはずだ。

彼ら〝転職後悔組〟に共通するのは、彼らが転職によって期待したものが、あくまでも「組織から与えられる役割」である点だ。言葉を換えるなら、「もっとマシな義務を与えてくれ」ということになる。動機の根源が内部ではなく外部に存在するという点で、彼らは狼たちと決定的に異なるのだ。

転職か独立か。それともまったく別の生きがいを求めるか。

いずれにせよ、いま自分が感じている閉塞感の原因を突き詰めることが必須だろう。それが、自らの動機を回復する第一歩なのだ。

いま、若者がなすべきこと

さて、年功序列制度の維持に必要なものを挙げろと言われれば、いろいろなものが頭に浮かぶ。先に述べたように、経済の安定した成長は不可欠だし、ビジネスモデルが大きくは変化しないことも重要だ。

だが、あえて一つだけ、人間力という観点で挙げるなら、それは「個性の埋没」だろう。

あれをやりたい、こういう夢があるなど、個人が抱いている自己実現に対する希望を極限まで希薄化させ、少なくとも若い間は組織の歯車として機能させること。それこそ、日本という巨大な年功序列組織が機能するために不可欠な条件なのだ。

ただし、歯車が自分の意志を持たされるまでに出世させてもらえる時代はすでに終わった。そんな幸運な人は全体のなかでは少数派で、おそらく過半数の人は、ただの歯車のままで人生を終えることになる。

となれば、いま、若い歯車たちにできることとはなんだろう。

なによりもまずすべきことは、自分の頭のなかで昭和的価値観をいったん脇に置き、透明な目で周囲を見渡してみることだ。

そうすれば、いまの自分の周囲にはさまざまな疑問や矛盾が溢れていることに気づくはずである。

「なぜ、成果主義なのに初任給はこんなに低いのか?」

「なぜ、自分にもっとレベルの高い仕事を任せてもらえないのか?」

「なぜ、正社員とまったく同じ仕事をしていても、派遣の自分は彼らの三分の一の給料なのか?」

それに気づいた以上、若者にできることは〝声を上げる〟ことだ。

年長者は自分たちのことだけで頭がいっぱいだ。上司に対して、あるいは組合の委員に対して、自分たちの権利と取り分をきっちり主張しなければ、若者はただ利用されるだけの存在となってしまう。

「おまえたちはまだ若いから我慢しろ」というセリフには、すでになんの論拠もない。これは本来、成果主義導入の際に、すでに企業自身が声高に宣言していることだ。

政治についても同様のことが言える。先に「政治家は中高年しか向いていない」と書いたが、これは若年層の投票率が低いことにも原因がある。

たとえば年金問題だ。いまの現役世代の年金が空手形で終わることは、ほぼ間違いないだろう。それでも多くの人は「仕方ない」とうつむいて諦める。「決まりだからしょうがない」と、疑問を抱くことすらしない人間もいる。そんな人は、「上に言われたから」と、爆弾と一緒に特攻していた兵士たちと本質的には同じメンタリティだろう。

だが、戦後の民主教育が目指した理想の国民像は、そんなものではなかったはずだ。物言わぬ兵隊ではなく、主体的に個を確立した西欧型の市民として、若者は自分の取り分は主張すべきだ。

選挙権がない一〇代はともかく、二〇代以上であれば、少なくとも与えられた投票権をきっちり行使して、意思表示すべきだろう。でなければ、誰も自分たちの権利は守ってくれない。

「自分が五〇代になれば、若い世代に手厚く支えてもらえる番だから心配ない」というのはナンセンスだ。いまやその次世代が存亡の危機を迎えている。

どんな社会にもリヴァイアサンはいる。それは大企業の株主だったり、独裁政党だったり、ときにはある特定の一族だったりする。

だがこの国では、企業においても、労働組合においても、そして政治の世界においても、リヴァイアサンとして権力を握るのは年長者なのだ。

一〇年後の自分はどうなっているか？

もし、いまの若者がこのまま年功序列組織のレールに乗ったまま先に進めば、将来彼を待つものとはなんだろう。いま、自分が奉仕している上司のように、高い給料と序列を保証され、実務は若手に任せたまま、部の交際費で飲み歩ける身分になれるだろうか。

残念ながら、そこまでたどり着けるのはごく一部の人間だけだろう。むしろ多くの若者は、そのはるか手前で人生を終えることになる。

これは、自分たちよりも少し上の世代を見れば一目瞭然《いちもくりようぜん》だ。

四〇代以上の人間は若い頃の報酬を得るどころか、景気の落ち込んだ二〇〇〇年頃には血で血を洗うようなリストラの憂《う》き目に遭った。それより少し下のバブル世代は、成果主義の洗礼を浴び、大きな格差に直面している。入社以来、成果主義による選別を受けているいまの二〇代なら、その格差はさらに大きなものになるはずだ。

では、具体的にどんな状況になるのか。これまで述べてきたことを簡単に整理し、〝勝ち組〟になれなかった場合を考えてみたい。

年収で言えば、三〇代後半から四〇代前半で、昇給は完全にストップすることになる。従来、日本企業では五〇代前半が基本給のピークだったが、毎年昇給し続ける定期昇給あっての話だ。それより一五年近く前でストップすると考えると、おそらく団塊世代あたりの年収の六、七割程度の水準までしか年収アップは望めそうにない。

組織内での序列が上がらない以上、仕事の内容も二〇代の頃と大きくは変わらない。権限を握り、ビジネスの上流のアウトラインを構築できるのは、勝ち組として部長以上のポストに就けた人間だけだ。そうでないもののほとんどは、単純な作業中心で人生の大半を費やすことになる。

これが技術系のエンジニアであれば、事態はさらに深刻だ。彼が入社以来取り組んできた専門の技術が、その後も長く業界標準であり続けるなら、彼が順調にポストに就ける可能性はその他の事務部門などと同程度にはある。

だが、もし技術革新により、そのノウハウやスキルの蓄積がまったく役立たなくなってしまった場合、彼が若い頃の労働の報酬として受け取るのは、おそらくポストではなく、配置転換や早期退職などのリストラだ。

彼が受け取るはずだったポストや昇給といった報酬は、そのとき、その新技術のニーズを満たせる人間（おそらく社外から中途採用された人間だ）が受け取ることになる。

ここで重要なのは、技術系にせよその他事務系にせよ、こういった現実に直面するのが、（二〇代であれば）おそらくいまから一五年以上先、四〇代になったあたりだということだ。

「あれ、自分はひょっとして一生平社員で終わるのか？　これ以上、給料は上がらないのか？」と気づいた頃には、もう遅い可能性が高い。

というのも、先述のように、現状の賃金体系が今後も維持されたとするなら、転職市場での消費期限はせいぜい三〇代の間だ。相当な安売りで自分を叩き売る以外、転職する機会はなくなっているはずだ。あとは疲れきったまま、日々の糧を得るために会社にしがみつく毎日が待っている。

なにより、誰もが若い時分にはきっと抱いていたであろう自己実現の夢は、きれいさっぱり消えてなくなることになる。

昭和的価値観との対話

ここまで読み進めた以上、すでにおおかたの（若い）読者は、昭和的価値観のフィルターをはずした目で、自分の周囲を見つめることができるはずだ。

自分の乗ったレールはどこに通じているのか。そして、自分の欲するものはなんなのか。

もしそれが自分のレールの先になさそうだ、と感じるのなら、自分で主体的に動き始める必要があるだろう。

具体的には、上司に対し、自分の希望を伝え、望むキャリアに沿った業務を勝ち取る。社内公募やＦＡ制度のような制度があるなら、それらを利用してキャリアを形成していく。それでも解決にはほど遠いなら、より理想とする企業への転職も検討する価値はあるだろう。

行動を起こすのは、早ければ早いほどいい。

いずれにせよ、与えられた仕事をこなすだけでは、けっして望むものは手に入らない。企業のために、ではなく、あくまで自己のキャリア形成のために業務が存在するべきなのだ。

だが、周囲の昭和的価値観を持った人間たちは、おしなべてこう言うだろう。

「若い時分は何も考えず、与えられた仕事はなんでもこなせ。給料が上がり、仕事も選べるようになるのは、私のように出世してからだ」

では、必ず出世させてもらえる保証があるのか？　「ビジネス動向にかかわらず、必ず序列を引き上げます」という社長印つきの念書でも取らない限り、こういう発言にはすでになんの根拠もない。将来、空手形をつかまされたと気づいたときは、その上司はとっくに定年退職している頃だろう。

転職を申し出たとすると、こう返す人間もいるはずだ。

「それでは無責任だろう。きちんと結果を出してから言うべきことは言え」

無責任なのは彼自身だ。たしかに、かつてキャリアが上から一方的に与えられるものであった時代は存在した。それは、主君と家臣の関係に近いと言える。

だが、けっして労働者は家臣ではない。かつての企業に対する滅私奉公は、将来序列が上がるという対価があってこそ成立した暗黙の契約だ。その対価の保証がなくなった現在、すでに契約も空文化《くうぶんか》していると言っていい。

となれば、両者の関係はあくまでイーブンであるべきだ。

両者の求めるものを交渉し、妥協の余地がないなら、それ以上そこにとどまる理由はない。組織内において「まず結果を出す」ことはたしかに重要だが、組織の側が「それにふさわしい対価を用意する」こともそれ以上に重要なのだ。

家族、特に昭和的価値観が堅持されていた時代に成人した世代の人間も、会社側以上に保守的だ。彼らはなにはともあれ定年まで勤続することがもっともお得で、社会的なステイタスも得られ、最大の幸福を生むと信じて疑わない。

若者自身も、そういう教えを受けて育ってきた。他人より少しでも偏差値の高い大学を出て、なるたけ大きくて立派だと思われている会社に入り、定年まで勤める。夜遅くまで面白くもない作業をこなし、疲れきっては猫の額のような部屋に寝るために帰る。そして日が昇るとまた、同じような人間で溢れかえった電車にゆられて、人生でもっとも多くの時間を過ごす職場へ向かう……。

それこそが幸せだと教え込まれてきた。

だが少なくとも、それだけで一定の物質的、精神的充足が得られた時代は、一五年以上昔に終わったのだ。その証拠に、満員電車に乗る人たちの顔を見るといい。そこにいくばくかの充足感や、生の喜びが見えるだろうか？　そこにあるのは、それが幸福だと無邪気に信じ込んでいる哀れな羊か、途中で気づいたにしてももうあと戻りできないまま、与えられる草を食《は》むことに決めた老いた羊たちの姿だ。

念のために言っておくが、本書はすべての若者に「年功序列への反乱」を促すものではない。

人によっては、明るい将来まできっちりレールが続いている人間もいるだろう。であれば、そのままの自分でいるという選択肢も十分ある。あなたが現在もそして将来も、組織のなかで成果に対する適正な報酬を間違いなく得ることができると思うなら、レールに残るのは正しい選択肢だ。

働く動機がお金や地位ではなく、最低限の賃金さえあればよいと思うなら、なおのこと企業内のレールに残るべきだろう。ちょっと残業が多いのが玉に瑕《きず》だが、終身雇用は長い目で見れば気楽な世界だ。

ただ、いまの自分に違和感をおぼえている人間であれば、まず自分の心の動機に耳を傾けるべきだろう。自分が望むものは、少なくともいまのレールの上にはないはずだ。

レールを降りることの意味

私が年功序列とその崩壊に関するごく端的な事実を話すと、なんと夢のない話だ！　と悲嘆に暮れる人が多い。なかには、本書を読んで同様の感想を持った方もいるかもしれない。

とんでもない！　これほど希望に満ちた明るい書はないだろう。

本書を読んで胸が躍《おど》る代わりに、不安にさいなまれたという人は、まずあるものを捨てなければならない。それは例の昭和的価値観だ。われわれをレールに縛りつけ、怯《おび》えさせるものの正体だ。それさえ捨てることができれば、実はわれわれには、先人たちにはない、ある貴重な宝物があることに気づく。

それはひと言でいえば、「自分で道を決める自由」である。レールの先にはどうやら明るい未来は少なそうだが、代わりにどこでも好きな方向へ歩いていけばいいのだ。

時代も、確実にそれを若者に望んでいる。たとえば、一〇年前には微々たるものだった転職市場は、コンビニのように手軽で身近なものに成長した。履歴書を何通も用意し、企業回りをする必要もない。パソコンさえあれば、日本全国から全国の企業に応募できる環境が整っている。

受け入れる側も大きく変わった。新興企業を中心に、学歴や年齢を問わない非年功序列型の企業は、常にレールを降りた人間たちに門戸を開いて迎え入れている。

起業にしても同様だ。〝一円起業〟や新会社法など、行政側もレールを降りた人間向けに、さまざまなプッシュをかけてくれている。

多少景気がよくなったところで、この流れは止まらない。いまから数十年先まで好況が続く保証でもない限り、レールはある日ぷっつりと途切れてしまうかもしれないのだ。

そういう意味では、「荒野の狼」の三人は少々特殊なシチュエーションにあるとも言える。文章に起こす以上は、〝動機〟という点で、それなりに興味深いケースを選んだためだ。

もし「彼らはたまたま女神に微笑《ほほえ》まれた幸運児にすぎない」と感じた人がいるとすれば、それは間違いだ。実際、志《こころざし》途上で再び組織に戻った人間もいれば、独立することで前職より大幅に所得の下がった人間もいる。なにより、五年後自分がどうなっているのか、本人たちにもわからない世界だ。

ただ一つ言えるのは、彼ら（そしてあえて本書には取り上げなかった人々も含め）レールから降り自分の足で歩いている人間は、それぞれの動機と常に正面から向き合っているという点だ。

そこには、年功序列組織特有の、ある種の暗さのようなものが微塵も感じられない。将来のために歯を食いしばって耐えることはあっても、それはあくまで自己実現のためだ。けっして「定年まで飯にありつくため」にいまを生きているわけではないのだ。

かつて年功序列制度のもと、一定の何かを諦めることで、人は安定と豊かさを手に入れてきた。

その何かとは、人によってさまざまだ。ある人にとっては夢であり、生きがいであり、才能でもある。本来、生まれながらに持っていたものだ。日本人の多くは、それを自分の胸の奥にしまい込んだまま、日々うつむいて暮らしている。

以前こんなことがあった。まだ企業に在籍していたときのことだ。

知り合いに五〇代前半のエンジニアがいた。彼の担当する業務はすでにひと昔前のハードのメンテナンスで、仕事はあったりなかったり。暇な日はオフィスで過去の設計書の整理をするのが日課だった。

平社員であることに特に不満もない。定年まで安楽に過ごせればそれでいい。彼の表情からは、そういう悟りに似た境地が感じられた。

だが、そんな彼がある日突然、転職をしてしまった。アメリカのコンピューターメーカーの日本法人にスカウトされたのが理由だ。新規に立ち上げるプロジェクトに、どうしても彼の往年の技術が必要だという。

年俸は若干上がるものの、契約期間は二年。その後の雇用は保証がない。まして、このタイミングで自己都合の退職をすれば、退職金は数百万円減ってしまう（たいていの日本企業では、退職金は五〇代からぐっと上がる）。

それでも転職を決意した彼が何を考えているのか、最初はよく理解できなかった。

ただ、その目が生き生きと輝いているのを見て、私はそこに働くことの真の意味を見たような気がした。

彼はそのとき、「働く理由」を取り戻したのだ。

たとえ二年後に契約更改されなくても、もう立ち止まることはないだろう。

彼と同じ選択を、若さに溢れた若者ができないわけがない。

自分の胸の奥にある動機に従うか、それともそんなものは忘れて、昭和的価値観に身をゆだねるか。

決めるのは上司でも友人でも親でもない。自分自身だ。その選択に際して、本書が多少なりとも参考になれば幸いである。

あとがき

ちょうど、このあとがきを書いていたときの話だ。

サッカーW杯の一次リーグで、日本代表はオーストラリア、クロアチアとあいまみえていた。もっとも印象に残ったのは攻撃陣の不甲斐《ふがい》なさだ。ボールを持つと、まるで失敗して叱られるのを恐れる子供のように、彼らは味方同士でパスを回し続けていた。

かつて、Jリーグ名古屋グランパスエイトを天皇杯優勝に導いた名将ベンゲルは、インタビューのなかで非常に意味深なコメントをしている。

「日本人は与えられた役割を果たすのは得意だが、状況を主体的に判断して行動するのは苦手だ」

代表監督就任後、すぐに日本人のこの特異な性質に気づいたトルシエは、ある意味、純日本的と言えるような対策を取った。パターン化した戦術を徹底的に叩き込むことで、個々の選手が主体的に考える必要性をなくしたのだ。

「決められたことだけやっていればいい、どうせそれ以上は無理だろうから」というわけだ。

それを取りやめ〝普通のサッカー〟に戻したジーコは、ある意味、日本人を一人前とみなしたと言えるかもしれない。たしかに、言われたことだけをやるチームでは、さらなる飛躍は難しいだろう。

ただ、ドイツでジーコジャパンを待っていたのは、一次リーグ最下位という屈辱だった。怯えたようにボールを回し合うFWの姿が、日々のルーチンワークに精を出すサラリーマンの姿と被《かぶ》って見えたのは、きっと筆者だけではないはずだ。個人のパフォーマンスがすべてのプロスポーツの世界ですらこれである。どうやら、日本人がレールを降りて歩き出すには、とても長い時間がかかりそうだ。

本書を書く前に、悩んだことが一つある。

それは、コンサルタントという立場と本書のスタンスとのギャップだ。

コンサルタントという職業は、企業にとって最大の利益を上げる仕組みを構築する仕事だ。そしてそれは、必ずしも従業員個々の利益と一致するわけではない。

たとえば、「いかに新卒の離職率を抑えるか」というテーマに取り組む経営者のなかには、「どうすれば若者を縛りつけられるか」という観点だけで物事を考える人たちがいる。そして、そのためのさまざまな意識改革セミナーなどを提供するコンサルタントもいる。

これは言葉を換えれば、「若者に、いかに年功序列というレールがあるように思わせ、安心させるか」ということだ。

また、論者によっては、日本の強みは年功序列制度そのものであるのだから、なんとしてでもそれを維持すべきだ、とする人もいる。そのためには、たとえ将来レールの上に放り出される結果になっても、若者には年功序列組織に仕えてもらうべきだとする考えだ。

たしかに、そのほうが、日本企業としては当面の業績を維持できるかもしれない。少なくとも、現状で序列のトップに位置する経営陣にとっては、若者を解放するより縛りつけるほうが魅力的に思えるかもしれない。

ただ、それではあまりにも若者が不憫《ふびん》だろう。

若いうちにさんざん下働きさせられたうえ、子供すら作れず、四〇を超えてから「騙された」と後悔するくらいなら、自分の足でレール以外の道を進んでみるべきだ（少なくとも、そのチャンスは与えられるべきだろう）。

実際、少し上を見れば、そうやって後悔している人間は大勢いる。同じ轍《てつ》を踏む必要などないのだ。

それで日本企業の強みが失われるのであれば、所詮《しょせん》その程度のものでしかなかったということだ。誰かを踏み台にすることでしか維持できないシステムは、一度壊してしまったほうがいい（※）。踏み台にされる側には、サボタージュする権利がある。

勘違いされそうなのでフォローしておくが、自分はなにも「格差をつけること」自体を否定しているわけではない。平等にチャレンジした結果の勝ち負けなら、それはあって当然だろう。

挑戦の機会さえ与えず、年齢という軸だけで収入からポストまで誰かが独占し、別の誰かを締め出してしまうシステムがおかしいと言っているだけだ。

もちろん、皆が皆、レールを降りてアウトサイダーとして生きていけるわけではないだろう。

だが考えてみれば、ソニーもホンダも、かつてそういったアウトサイダーたちが立ち上げた企業だ。そういった可能性を眠らせたまま生きている若者がいるとすれば、実にもったいない話だろう。

企業側も、いずれはより〝適正な〟形の人事制度を構築するはずだ。だが、それにはとても長い時間がかかりそうだ。

いまを生きる若者が、それぞれの内なる動機について少しだけ考え、アクションを起こせば、企業の変革をプッシュすることになる。ひいては、社会全体の変革にもつながっていくだろう。

明るい未来とは本来、人から与えられるものではなく、自分の手で築くものであるはずだ。その自覚を促すことこそ、本書の意図したところである。

城　繁幸

※ちなみに、本書のテーマではなかったので詳しくは書かなかったが、年功序列と成果主義の共存という可能性については、前著『日本型「成果主義」の可能性』（東洋経済新報社）で取り上げている。業種によるが、それは十分可能だと考える。いずれにしても、現状の中途半端な成果主義（本質的には年功序列制度）では問題の解決にはならないだろう。

城繁幸（じょうしげゆき）
1973年山口県生まれ。東大法学部卒業後、富士通入社。以後、人事部門にて、新人事制度導入直後からその運営に携わる。2004年、同社退社後に出版した『内側から見た富士通「成果主義」の崩壊』（光文社ペーパーバックス）では、成果主義のさまざまな問題点を指摘し、大ベストセラーとなる。翌年上梓の『日本型「成果主義」の可能性』（東洋経済新報社）では、日本企業がいかに成果主義とつき合うべきかを取り上げ、実践書として高い評価を得る。現在、人事コンサルティング「Joe's Labo」代表。人事制度、採用等の各種雇用問題において、「若者の視点」を取り入れたユニークな意見をメディアにて発信し続けている。

若者《わかもの》はなぜ3年《ねん》で辞《や》めるのか？　年功序列《ねんこうじょれつ》が奪《うば》う日本《にほん》の未来《みらい》

2006年9月20日初版1刷発行
2006年12月15日　10刷発行

著　者──城繁幸
発行者──古谷俊勝
装　幀──アラン・チャン
印刷所──萩原印刷
製本所──関川製本
発行所──株式会社光文社
東京都文京区音羽1-16-6（〒112-8011）
電　話──編集部03(5395)8289　販売部03(5395)8114
業務部03(5395)8125
メール──sinsyo@kobunsha.com

光文社新書

224 仏像は語る
何のために作られたのか
宮元健次

仏像には、「煩悩」を抱えた人間の壮絶なドラマが込められている。迷い、悩み、苦しみ、弱み、祈り……。共に泣き、共に呻く「魂の叫び」に耳をすます。

225 ニューヨーク美術案内
千住博　野地秩嘉

美術の町・ニューヨークで、野地秩嘉が画家・千住博と一緒に作品を読み解いていく、今までにない最高に贅沢な美術ガイド。この一冊で、美術館がたちまち楽しい場所に変わる。

226 世界最高の日本文学
こんなにすごい小説があった
許光俊

岡本かの子『老妓抄』、森鷗外『牛鍋』、夢野久作『少女地獄』……。心にしみ入る名編から、驚愕と戦慄の怪作まで、あなたの小説観・人生観を根底から変える一二編を徹底解剖。

227 ジャーナリズムとしてのパパラッチ
イタリア人の正義感
内田洋子

悪趣味な〈のぞき見〉か、正統な〈時事報道〉か。パパラッチ発祥の国・イタリアで、その裏側に迫る。「報道の自由」と「プライバシー保護」の境界線は？　ジャーナリストの倫理感とは？

228 日仏カップル事情
日本女性はなぜモテる？
夏目幸子

今日、日仏カップル、とりわけフランス人男性と日本人女性との結婚が増えているが、なぜだろうか。この現象から、現代日本人女性の問題、日本社会の現状、男女関係等を考える。

229 古伝空手の発想
身体で感じ、「身体脳」で生きる
宇城憲治 監修　小林信也

「古伝空手」とは、「戦わずして勝つ」、平和の哲学に根ざす武術である。六百年もの歴史を持つその伝統の教え――「型」――から、真の生き方のヒントを学ぶ。

230 羞恥心はどこへ消えた？
菅原健介

近年、「ジベタリアン」「人前キス」「車内化粧」など、街中での〝迷惑行動〟が目につくようになった。私たちの社会で何が起こっているのか。「恥」から見えてきたニッポンの今。

光文社新書

238 日中一〇〇年史 二つの近代を問い直す 丸川哲史

日本と中国、この隣り合う国の複雑な関係について、毛沢東、北一輝、魯迅、竹内好など、両国の知識人たちは真剣に悩み、考え抜いてきた。両国の近代史を、彼らの思想でたどる。

239 「学び」で組織は成長する 吉田新一郎

役に立たない研修ばかりやっている組織のために、「こうすれば効率的に学べる」方法を紹介する。企業、NPO、学校、行政などで使える学び方・22例を具体的に解説。

240 踊るマハーバーラタ 愚かで愛しい物語 山際素男

恋あり愛あり性あり欲あり善あり悪あり涙あり笑いあり——。〝ここにあるもの総ては何処にもあり、ここに無いものは何処にもない〟。『世界最大の叙事詩』エッセンス八話を収録。

241 99・9%は仮説 思いこみで判断しないための考え方 竹内薫

飛行機はなぜ飛ぶのか？　科学では説明できない——科学的に一〇〇%解明されていると思われていることも、実はぜんぶ仮説にすぎなかった！　世界の見え方が変わる科学入門。

242 漢文の素養 誰が日本文化をつくったのか？ 加藤徹

かつて漢文は政治・外交にも利用された日本人の教養の大動脈だった。古代からの日本をその「漢文」からひもとき、この国のかたちがどのように築かれてきたのかを明らかにする。

243 「あたりまえ」を疑う社会学 質的調査のセンス 好井裕明

社会学における質的調査、特に質的なフィールドワークに不可欠なセンスについて、著者自らの体験や、優れた作品を参照しつつ解説。数字では語れない現実を読み解く方法とは？

244 チョムスキー入門 生成文法の謎を解く 町田健

近年、アメリカ批判など政治的発言で知られるチョムスキーのもう一つの顔、それは言語学に革命をもたらした生成文法の提唱者としての顔である。彼の難解な理論を明快に解説。

245
指導力
清宮克幸・春口廣 対論
松瀬学

大学ラグビー界の名将二人が、自身の経験とノウハウをもとに、「指導力」の肝について語り合う。ラグビーファンだけでなく、すべての指導者、部下を持つビジネスマン必読！

246
馬を走らせる
小島太

かつては記録よりも記憶に残る名騎手として、いまは多くのスタッフと管理馬を抱える信頼の厚い名調教師として、数々の大レースを制した著者が語る、本物の競馬論。

247
旬の魚を食べ歩く
斎藤潤

瀬戸内で唸ったタイ、カツオ王国・土佐の極上タタキ、若狭の焼きサバ、日本一のサケ、松島カキ尽くし、ワインのような利尻コンブ……。日本全国、旬と産地で味わう旅。

248
自分のルーツを探す
丹羽基二　鈴木隆祐

あなたの父母は二人、祖父母は四人、曾祖父母は八人、高祖父母は一六人……。自分の先祖を遡っていけば、いろいろなことが分かる！　その効果的なやり方を実践的・体系的に解説。

249
ネオ共産主義論
的場昭弘

一九世紀、人類の夢を実現する思想として確立した共産主義。しかしソ連の崩壊をきっかけに、今や忘れられた思想と化した。世界的に二極化が加速する今、改めてその意義を考える。

250
「うつ」かもしれない
死に至る病とどう闘うか
磯部潮

「自律神経失調症」と診断されたら、「うつ病」を疑ったほうがいい！　臨床の名医である筆者が、最良の「うつ」の対処法を解説。誰もが「うつ」になる可能性がある現代の必読の書。

251
神社の系譜
なぜそこにあるのか
宮元健次

「八百万の神」と言い表されるように、日本には多様な神が祀られている。神社とは何だろうか。伊勢から出雲、靖国まで、「自然暦」という新視点から神々の系譜について考える。

光文社新書

252 **テツはこう乗る** 鉄ちゃん気分の鉄道旅　野田隆

鉄道旅行は好きだけど、車窓と駅弁以外にあまり楽しみ方を知らない……。そんなあなたのための、鉄道ならぬテツ道入門。本書を読んで、今日からあなたも「鉄ちゃん」の一員に！

253 **日本史の一級史料**　山本博文

歴史は1秒で変わる――歴史家はどのように史料を読み、歴史を描き出していくのか？「一級史料」を題材に、教科書や歴史書を鵜呑みにしない「私の史観」の身につけ方を学ぶ。

254 **行動経済学** 経済は「感情」で動いている　友野典男

人は合理的である、とする伝統経済学の理論は本当か。現実の人の行動はもっと複雑ではないか。重要な提言と詳細な検証により新たな領域を築く行動経済学を、基礎から解説する。

255 **数式を使わないデータマイニング入門** 隠れた法則を発見する　岡嶋裕史

インターネット上の玉石混淆の情報の中から「玉」を発見するには？ グーグル、アマゾン――Web2.0時代に必須の知識・技術を本質から理解できる、世界一簡単な入門書。

256 **「私」のための現代思想**　高田明典

自殺には「正しい自殺」と「正しくない自殺」がある――フーコー、ハイデガー、ウィトゲンシュタイン、リオタールなどの思想を軸に、「私」の「生と死」の問題を徹底的に考える。

257 **企画書は1行**　野地秩嘉

相手に「それをやろう」と言わせる企画書は、どれも魅力的な一行を持っている――。自分の想いを実現する一行をいかに書くか。第一人者たちの「一行の力」の源を紹介する。

258 **人体 失敗の進化史**　遠藤秀紀

「私たちヒトとは、地球の生き物として、一体何をしでかした存在なのか」――あなたの身体に刻まれた「ぼろぼろの設計図」を読み解きながら、ヒトの過去・現在・未来を知る。

光文社新書